AS ORIGENS E A COMEMORAÇÃO DO DIA INTERNACIONAL DAS MULHERES

ANA ISABEL ÁLVAREZ GONZÁLEZ

AS ORIGENS E A COMEMORAÇÃO DO DIA INTERNACIONAL DAS MULHERES

1ª edição
Editora Expressão Popular
SOF – Sempreviva Organização Feminista
São Paulo – 2010

Tradução autorizada do original espanhol: *Los orígenes y la celebración del día internacional de la mujer. 1910-1945.*

Tradução, edição e revisão de texto: Alessandra Ceregatti, Alessandra Terribili, Ana Lúcia Cavalcanti, Bernarda Perez, Camila Furchi, Célia Alldridge, Juliana Lago, Márcia Valéria, Maria Fernanda Marcelino, Maria Lúcia da Silveira, Nalu Faria, Neuza Tito, Taís Viúdes de Freitas, Táli Pires de Almeida, Tatau Godinho, Tica Moreno,Vera Machado, Vera Soares – Participantes do grupo de estudos *Em Tempo de Feminismo*

Projeto gráfico, diagramação: *Krits Estúdio*
Capa: Henrique Costa. Sobre foto de manifestação das mulheres em fev./1917, na Rússia, Petrogrado. E manifestação do 8/3/2005 no Brasil, São Paulo (foto Juliana Bruce/arquivo SOF)
Impressão: *Cromosete*

Dados Internacionais de Catalogação-na-Publicação (CIP)

Álvarez González, Ana Isabel
A473o As origens e a comemoração do dia internacional das mulheres / Ana Isabel Álvarez González ; tradução Alessandra Ceregati ...{et al.} --1.ed. – São Paulo : Expressão Popular : SOF- Sempreviva Organização Feminina, 2010.
200 p.

Título original: Los orígenes y la celebración del dia internacional de la mujer.
Indexado em GeoDados - http://www.geodados.uem.br
ISBN 978-85-7743-138-0

1. Dia internacional da mulher. – História. 2. Mulheres – Condições Sociais. 2. Mulheres - Direito. 3. Feminismo. I. Ceregati, Alessandra, trad. II. Título.

CDD 305.4

Catalogação na Publicação: Eliane M. S. Jovanovich CRB 9/1250

1ª edição: março de 2010
Tiragem: 2.000 exemplares

EDITORA EXPRESSÃO POPULAR LTDA
Rua Abolição, 201 – Bela Vista
CEP 01319-010 – São Paulo – SP
Tel: (11) 3522-7516 / 4063-4189 / 3105-9500
editora.expressaopopular.com.br
livraria@expressaopopular.com.br
www.facebook.com/ed.expressaopopular

SOF – SEMPREVIVA ORGANIZAÇÃO FEMINISTA
Rua Ministro Costa e Silva, 36
Pinheiros
05417-080 São Paulo, SP
Fone/Fax: (11) 3819-3876
sof@sof.org.br – www.sof.org.br

Sumário

ANEXOS

À memória de minhas avós
Adela e Delfina

Nota da tradução:

O texto original apresenta várias referências em inglês e outras línguas. O nome de instituições e publicações, em geral, foi traduzido ao longo do texto, com o nome na língua original indicado entre parênteses na primeira vez em que aparece. Em poucos casos foi mantido no idioma original. Também é apresentada uma tradução direta dos poemas, com objetivo de tornar acessível sua compreensão. Sempre que possível, a tradução das citações foi cotejada com o original em inglês.

A tradução dos documentos em anexo foi feita a partir dos textos em inglês, como indicado em cada um deles. O anexo 5 foi acrescentado nesta edição brasileira.

As notas de rodapé indicadas por (N.T.) são da tradução. Todas as demais são notas da autora. No texto, as informações entre [colchetes] são da tradução.

Apresentação

Quando a Segunda Conferência Internacional de Mulheres Socialistas, realizada em Copenhague em 1910, decidiu pela realização de um dia internacional especialmente dedicado à luta das mulheres, nascia, cem anos atrás, o principal dia de luta do movimento de mulheres no mundo. Retomar o sentido da comemoração do Dia Internacional das Mulheres é recuperar parte da história de luta das mulheres, de alguns dos seus debates mais importantes e do esforço das militantes socialistas para convencer suas organizações políticas da centralidade da luta pela libertação das mulheres. O direito ao voto era, então, bandeira central das mulheres em grande parte dos países no mundo. As militantes socialistas nos Estados Unidos já haviam organizado um dia de mobilização pelo voto em anos anteriores. Inspirado nesse exemplo, o movimento de mulheres socialistas aprovou a proposta de um dia de luta unificado internacionalmente.

Em diversos países já existiam movimentos de mulheres por mudanças na legislação civil, em especial na regulamentação do casamento e do divórcio, pelo direito de frequentar escolas e exercer ofícios e profissões, de terem acesso à herança e aos bens da família, de participar de associações políticas e sindicais. Mas a reivindicação que mais se destacava e mobilizava especialmente as mulheres era o direito de voto, considerado um instrumento indispensável para que os demais direitos pudessem existir.

Formou-se, assim, um expressivo movimento em torno dessa reivindicação, um movimento sufragista, que com características e dinâmicas distintas mobilizou mulheres em diferentes países, por um largo período. Esse mesmo período, as últimas décadas do século 19 e inícios do século 20, foi um momento de grande confronto de classes, com a organização do movimento socialista em diversos países. É no marco desses debates e conflitos que as militantes socialistas se organizaram, buscando formar um movimento forte, capaz de combinar a luta pela libertação das mulheres com a luta pela transformação global da sociedade, com argumentos – e força – para convencer os camaradas homens que a opressão das mulheres, sua permanência no estreito círculo da família e do trabalho doméstico, era uma força contrária às propostas de igualdade defendida pelo socialismo.

O direito de voto foi uma reivindicação central para as distintas correntes que se formaram na mobilização das mulheres. A discussão sobre as formas de luta e a construção de alianças provocava uma permanente tensão tanto nas correntes do movimento sufragista independente quanto entre as militantes socialistas. Alianças que pareciam tão óbvias entre setores oprimidos permaneciam sempre conflituosas e frágeis e, com frequência, se rompiam em prejuízo de seu elo mais fraco: as mulheres. Alguns exemplos são bastante simbólicos. A dedicação das organizações de mulheres nos Estados Unidos à luta pelo fim da escravidão dos negros não garantiu a elas que os abolicionistas apoiassem a igualdade para as mulheres, fossem brancas ou negras, uma vez abolida a escravidão. Da mesma forma, no movimento socialista as militantes terão que dedicar parte importante de suas energias, e muitas vezes abrir mão de suas reivindicações, para convencer os partidos de esquerda que valia a pena lutar pela igualdade para as mulheres. E nem sempre foram bem-sucedidas. Nos textos de Alexandra Kollontai e Clara Zetkin de diferentes períodos entre 1906 e 1920, apresentados como anexos ao final deste livro, é insistente a argumentação de que a luta das mulheres, ao contrário de ameaçar a luta do proletariado, a reforça.

A história do Dia Internacional das Mulheres traz o debate da difícil construção da luta pela igualdade entre mulheres e homens no conjunto da esquerda ao mesmo tempo em que mostra os limites da luta feminista quando não se insere na busca de transformações estruturais das relações sociais e econômicas. A opressão das mulheres não surge com a sociedade de classes, mas em todas as formações sociais homens e mulheres foram reinseridos segundo sua classe e a desigualdade entre mulheres e homens se remodela favorecendo a dominação masculina ao combinar as relações sociais de sexo (ou de gênero) com a dominação de classe. A luta das militantes feministas socialistas, com os distintos instrumentos teóricos e políticos da cada época, é marcada pelo esforço de construir as condições para uma transformação integral das relações sociais. Isso exige uma elaboração teórica e uma ação política que altere os estreitos limites com os quais a esquerda ainda enxerga a luta das mulheres.

Como um texto histórico, o livro de Ana Isabel retrata o debate da época, e nos estimula a refletir sobre as formulações e contribuições que o feminismo trará, posteriormente, para a análise marxista e os diferentes desafios da luta socialista. A partir dos anos 1960 e 1970, desenvolve-se um amplo debate no feminismo sobre o significado dos mecanismos de opressão das mulheres, das distintas formas de organização familiar e o papel do trabalho das mulheres em todas as sociedades e formações históricas. Aprofunda-se a compreensão da particularidade do capitalismo que, ao radicalizar a divisão entre público e privado, distancia produção e reprodução possibilitando uma redução do conceito de trabalho (enfatizada na elaboração marxista tradicional) que não reconhece o enorme volume de trabalho realizado pelas mulheres por detrás das relações mercantis propriamente ditas. Em particular a elaboração feminista sobre a divisão sexual do trabalho como estratégia integrante da exploração capitalista e como mecanismo que revalida as relações de poder e opressão entre mulheres e homens traz uma nova perspectiva para a análise da dominação capitalista e, também, das razões da permanência da chocante desigualdade entre mulheres e homens naquelas sociedades que tentaram romper com a desigualdade de classe. São questões que, sem dúvida, exigem elaboração muito além do que aqui se pretende abordar; de fato, são um pano de fundo permanente do debate que uma perspectiva feminista socialista cobra da esquerda.

Por outro lado, em grande medida devedora ou herdeira da ousadia teórica e política de militantes como Alexandra Kollontai, a chamada segunda onda do feminismo, após os anos 1960, coloca em destaque a proposta da autonomia das mulheres e a essencial igualdade também no âmbito das relações pessoais e no exercício da sexualidade. Com instrumentos teóricos e políticos inexistentes nas primeiras décadas do século 20, o feminismo retoma uma plataforma de igualdade nas relações pessoais, de crítica aos modelos tradicionais de família, da exigência da autonomia das mulheres, insistindo na importância do controle sobre a reprodução. Uma plataforma que em grandes linhas e com surpreendente radicalidade vemos presente em medidas tomadas pelos bolcheviques nos primeiros anos da Revolução Russa. Aliás, o que deveria nos chocar é perceber o quanto a esquerda se tornou conservadora nas décadas seguintes e o quanto esses debates se perderam na memória de grande parte dos militantes, homens e mulheres, até que o feminismo viesse cobrar, novamente, a coerência da construção da igualdade entre mulheres e homens na proposta socialista.

Recuperar o histórico do Dia Internacional das Mulheres como parte da luta social, como inegável ponto de intersecção entre a luta das trabalhadoras, do movimento socialista e da luta feminista, evidencia o caráter político dessa comemoração e, ao mesmo tempo, retoma historicamente o esforço das militantes socialistas em construir uma dinâmica de organização e luta específica das mulheres. A história evidencia a resistência – e mesmo o rechaço – de setores do movimento socialista à perspectiva de organização das mulheres, alicerçada na recorrente incompreensão do direito das mulheres à igualdade no mundo público (ao trabalho e à participação política), contrastando com a realidade da sua presença no trabalho agrícola e no proletariado industrial, já fortemente marcado pela divisão sexual do trabalho. Em diversos setores a mão de obra feminina era mesmo majoritária. Difícil seria pensar na organização da luta revolucionária sem a participação das trabalhadoras.

No entanto, duas lógicas aparentemente contraditórias se complementam – o impulso para a presença das mulheres no mercado de trabalho e o reforço de seu lugar na família. A exploração capitalista não destrói a estrutura familiar, como inicialmente imaginaram os pensadores marxistas. E o movimento sindical, predominantemente masculino, apoiou e reforçou o papel da família operária e o lugar ideal das mulheres como donas de casa e mães de família. A contradição entre reivindicações de melhoria das condições de trabalho muitas vezes se apoiou na restrição ao direito das mulheres ao trabalho, alimentando uma lógica de organização do mercado de trabalho, legitimada durante décadas, que considerava "natural" a demissão das mulheres ao se casarem, ou a existência de profissões consideradas "adequadas" ao padrão de feminilidade imposto. São alguns dos mecanismos de controle da exploração dos trabalhadores em seu conjunto, e das mulheres em particular, que favorecem os trabalhadores do sexo masculino reforçando a desigualdade entre mulheres e homens.

Após sua aprovação na Segunda Conferência de Mulheres Socialistas em 1910, inspirada no *Woman's Day* (Dia da Mulher) organizado pelas socialistas dos Estados Unidos, as comemorações de um dia internacional das mulheres organizadas pelas militantes socialistas ocorrem em dias diferentes a cada ano nos distintos países. O livro nos relata a história dessas comemorações, orientadas prioritariamente para a reivindicação do direito de voto, sem a definição de um dia específico para sua realização entre os anos de 1911 e 1920. Foram as manifestações das mulheres na Rússia, no dia 8 de março de 1917 (dia 23 de fevereiro segundo o antigo calendário russo) que motivaram a escolha do dia 8 de março como a data comum para comemoração do Dia Internacional das Mulheres, alguns anos depois. A confluência das comemorações do Dia Internacional das Mulheres com a greve das operárias têxteis e a revolta das mulheres com a escassez de alimentos foi o estopim da Revolução de Fevereiro de 1917 na Rússia. O texto de 1920 de Kollontai, publicado neste livro, descreve a mobilização das mulheres:

> Em 1917, no dia 8 de março (23 de fevereiro), no Dia das Mulheres Trabalhadoras, elas saíram corajosamente às ruas de Petrogrado. As mulheres – algumas eram trabalhadoras, algumas eram esposas de soldados – reivindicavam "Pão para nossos filhos" e "Retorno de nossos maridos das trincheiras". Nesse mo-

mento decisivo, o protesto das mulheres trabalhadoras era tão ameaçador que mesmo as forças de segurança tsaristas não ousaram tomar as medidas usuais contra as rebeldes e observavam atônitas o mar turbulento da ira do povo. O Dia das Mulheres Trabalhadoras de 1917 tornou-se memorável na história. Nesse dia as mulheres russas ergueram a tocha da revolução proletária e incendiaram todo o mundo. A revolução de fevereiro se iniciou a partir desse dia.

Da mesma forma Trotski relata o início da revolução em *A história da Revolução Russa* (capítulo 7), enfatizando que as mobilizações das mulheres passaram por cima do receio das direções partidárias que consideravam que as condições para um movimento grevista não estavam dadas:

> O dia 23 de fevereiro era o Dia Internacional da Mulher. Os círculos da social-democracia tencionavam festejá-lo segundo as normas tradicionais: reuniões, discursos, manifestos. Na véspera ainda ninguém poderia supor que o Dia da Mulher pudesse inaugurar a Revolução. Nenhuma organização preconizara greves para aquele dia. (...) Tal foi a linha de conduta preconizada pelo Comitê, nas vésperas do dia 23, e parecia ter sido aceita por todos. No dia seguinte, pela manhã, apesar de todas as determinações, as operárias têxteis de diversas fábricas abandonaram o trabalho e enviaram delegadas aos metalúrgicos, solicitando-lhes que apoiassem a greve. Foi "contra a vontade", escreve Kayurov, que os bolcheviques entraram na greve, secundados pelos operários mencheviques e socialistas-revolucionários. Visto tratar-se de uma greve de massas, não havia outro remédio senão fazer com que todos descessem à rua e tomar a frente do movimento (...) ninguém, absolutamente ninguém – podemos afirmar categoricamente baseando-nos em todos os documentos consultados – supunha que o dia 23 de fevereiro marcaria o início de um assalto decisivo contra o absolutismo.

A mobilização das mulheres respondia a mais de uma motivação. E detonava a insatisfação exacerbada pelo longo período de opressão e de guerra. Como já mencionara Kollontai, para a mobilização das mulheres nas ruas confluíram as grevistas do setor têxtil, as imensas filas para a distribuição do pão, mulheres familiares dos soldados do exército – chamadas de *soldatki* – explodindo uma revolta acumulada contra a repressão do regime tsarista intensificada pela guerra. A revolta se estendeu por vários dias, ganhando, cada vez mais um caráter de greve geral e de luta política. O relato de Trotski pontua com detalhes a iniciativa das mulheres:

> É evidente pois que a Revolução de Fevereiro foi iniciada pelos elementos de base, que ultrapassaram a resistência de suas próprias organizações revolucionárias, e que esta iniciativa foi tomada espontaneamente pela camada proletária mais explorada e oprimida que as demais – as operárias da indústria têxtil, entre as quais, deve-se supor, estavam incluídas numerosas mulheres casadas com soldados. O impulso decisivo originou-se das intermináveis esperas nas portas das padarias. O número de grevistas, mulheres e homens, orçou, neste dia, por volta dos 90 mil. (...) Uma multidão de mulheres, nem todas operárias, dirigiu-se à Duma Municipal, pedindo pão. Era o mesmo que pedir água a uma pedra. Em outras partes da cidade foram desfraldadas bandeiras vermelhas cujas inscrições atestavam que os trabalhadores exigiam pão, mas que também não queriam mais a autocracia nem a guerra. O Dia da Mulher foi bem-sucedido, cheio de entusiasmo e sem vítimas. Anoitecera e nada revelava ainda o que esse dia trazia em suas entranhas.

Foi para relembrar a ação das mulheres na história da Revolução Russa que o Dia Internacional das Mulheres passou a ser comemorado de forma unificada no dia 8 de março. A decisão de unificação da data foi tomada na Conferência de Mulheres Comunistas, coincidindo com o Congresso da Terceira Internacional, realizado em Moscou, em 1921. Parte dessa história, entretanto, ficou esquecida durante vários anos. É verdade também que, em especial a partir da década de 1930, o estalinismo corrompeu o sentido de luta do 8 de Março, transformando-a durante longos anos em uma festa de exaltação da maternidade, em defesa da paz e da pátria soviética. O sentido de reivindicações das mulheres, de construção da igualdade é deixado para trás, assim como foram destruídas várias das conquistas iniciadas com a Revolução de 1917.

Quando novamente ganharam fôlego as comemorações, após os anos 1960, muitas versões se contaram, se confundiram, se criaram e os acontecimentos e motivações que deram origem ao Dia Internacional das Mulheres, ao 8 de Março ficaram submersos. Quantas de nós já não ouvimos, e repetimos, que a origem do 8 de Março está vinculada a um incêndio que causou a morte de uma centena de operárias...! Um incêndio que de fato existiu, acontecimento trágico e marcante na história do movimento operário dos Estados Unidos, mas cuja história não se vincula à proposição de um dia de luta das mulheres e, tampouco, à definição da data de sua comemoração.

A publicação deste livro, que busca desvendar *As origens e a comemoração do Dia Internacional das Mulheres*, é assim bastante oportuna. A autora recompõe com detalhes a história da criação do Dia Internacional das Mulheres e a definição posterior de um dia unificado para sua comemoração, o dia 8 de março, acontecimentos diretamente vinculados à luta das mulheres socialistas. Ao mesmo tempo, aponta os dados que nos ajudam a compreender como uma versão tão diferente se impôs por tanto tempo em mais de um país.

A tentativa de desvendar essa história não é uma iniciativa inédita, a própria autora esclarece. O estudo pioneiro de Renée Côté, publicado em 1984 no Quebec, Canadá, inspirou indagações e a pesquisa da história. Logo após aparece artigo de Temma Kaplan, nos Estados Unidos, impulsionado pelas dúvidas levantadas por militantes feministas francesas... Assim a história vai se recompondo.

No Brasil, a retomada dessa história dá os primeiros passos em 1996, com um texto de Naumi Vasconcelos, apoiado em Renée Côté. E vai pouco a pouco sendo divulgada, com mais ênfase, mas não apenas, em publicações da esquerda e dos movimentos sociais, algumas delas abordando distintos aspectos da história.

O livro de Ana Isabel Álvarez González, agora publicado em português, contribui para a divulgação da história, ao mesmo tempo em que elucida o tema do incêndio e relata a permanente tensão das militantes socialistas para que as organizações e partidos da classe trabalhadora incorporassem as reivindicações das mulheres. Tensão que aponta para a necessidade de organização das mulheres no conjunto da esquerda e para a construção do movimento de mulheres.

A segunda onda do feminismo, tal como a primeira, teve um rápido processo de internacionalização e, a partir dos anos 1960, o Dia Internacional das Mulheres é retomado com destaque como uma data de luta do movimento. A existência de um dia comum tem um papel significativo de mobilização. A incorporação pela ONU do 8 de Março como data mundial contribuiu para essa retomada em larga escala, ao mesmo tempo em que também incentivou um viés institucional da comemoração.

Em especial após os anos 1980, os meios de comunicação, diversas instituições e empresas vêm tentando absorver o Dia Internacional das Mulheres e transformá-lo em mais um evento do mercado, um dia de flores, de homenagens, de presentes... e de reforço da feminilidade tradicional. Nos últimos anos esse tem sido, até mesmo, um momento de investida antifeminista: jornais e revistas publicam artigos questionando se o feminismo ainda existe ou se ainda é necessário buscar a igualdade. Uma vez que "as mulheres já conquistaram tudo", tratar-se-ia agora de combater os exageros feministas para que a mulher não perca a feminilidade.

Ao se tornar referência no mundo inteiro, o 8 de Março tem um importante papel na manutenção da identidade de um movimento amplo de mulheres e é um instrumento de mobilização e aglutinação das mulheres em torno da luta pela igualdade. Em um movimento tão amplo e disperso, que é característica do movimento de mulheres, a construção de um calendário de lutas pode ter um papel decisivo de mobilização e construção de uma identidade política, assim como a construção de símbolos, de dinâmicas próprias e o compartilhamento de uma história comum.

No Brasil, tornou-se também parte do calendário de lutas do conjunto dos movimentos, com o esforço permanente para garantir o protagonismo das mulheres; assim como uma dinâmica de luta, de mobilização e resistência, permanece como uma disputa política e depende do grau de organização e força das militantes feministas socialistas no movimento. Afinal, a perspectiva organizativa de qualquer luta, o rumo de qualquer movimento são resultado de projetos políticos. Não serão resolvidos por decisões administrativas e tampouco pela eliminação sectária das divergências ou de setores do movimento. Um 8 de Março militante é parte do projeto de construção de um movimento de mulheres forte, capaz de atuar em conjunto com outros movimentos sociais, aglutinando as militantes organizadas também nos movimentos e organizações sociais mistos, em torno de uma plataforma que articule a luta pela igualdade entre mulheres e homens com a luta pela transformação das relações de classe e de raça. Em síntese, trata-se de atuar para que uma perspectiva que integre a luta pela igualdade, anticapitalista, antirracista e antipatriarcal seja o eixo estruturador do movimento de mulheres, um movimento feminista e socialista.

Essa disputa não se faz apenas no interior do movimento de mulheres. No campo da esquerda, dos movimentos, partidos e organizações dos trabalhadores ainda prevalecem visões equivocadas do que é o feminismo e o movimento de mulheres. Com frequência, o movimento de mulheres, e suas reivindicações, é caracterizado como um movimento de classe média, intelectualizado, sem relação com o que se avalia serem as necessidades das "mulheres comuns". Ao mesmo tempo, a opressão das mulheres é vista por uma ótica culturalista, no plano das ideias, sem que se compreenda, ou se admita, as contradições materiais concretas das relações sociais de sexo, que são a base efetiva da necessidade da organização própria das mulheres.

A força das ideias feministas, mesmo que não com esse nome – isto é, a força da luta pela igualdade entre mulheres e homens – se construiu através de amplas lutas sociais, em consonância com uma proposta de mudança anticapitalista. Lutas em que as mulheres trabalhadoras tiveram e têm um papel fundamental, na maior parte das vezes tensionadas pela cobrança que contrapõe nossa fidelidade à classe trabalhadora à nossa rebeldia contra a opressão das mulheres. É nosso desafio romper com essa dicotomia. Um novo mundo só nos corresponderá se for de igualdade também para as mulheres. Assim, a construção de uma prática e uma consciência feminista pode ser sintetizada na palavra de ordem: para mudar a vida das mulheres temos que mudar o mundo e, portanto, todas as lutas por mudanças são também lutas das mulheres.

Ao se completar um século desde que as mulheres socialistas reunidas em Copenhague aprovaram a proposta do Dia Internacional das Mulheres, a recuperação histórica do significado dessa data é uma contribuição importante para a reflexão sobre o que é constitutivo da luta feminista: a afirmação, cada vez mais, da autonomia e soberania das mulheres e de que a igualdade entre os sexos tem que ser parte fundamental de todos os processos de transformação. Esse é o lugar do 8 de Março na longa jornada das mulheres: reafirmar que sem socialismo não há feminismo, sem feminismo não há socialismo.

Nalu Faria
Coordenadora da SOF – Sempreviva Organização Feminista

Introdução

"Uma das contribuições dessa história foi, precisamente, a afirmação de que a mulher tem uma história, e que esta história não pode ser considerada como um conjunto de dados esquecidos cujo destino seria serem incorporados às categorias históricas tradicionais, nem tampouco como simples contribuição marginal à suposta história definitiva – a história do homem vista a partir de uma perspectiva masculina e um sistema de valores masculino. Assim, para se fazer a recuperação histórica da mulher foi necessário compreender que a experiência histórica do sexo feminino não pode ser concebida, obrigatoriamente, da mesma forma que a do homem, mas como experiência e existência diferençável e separada dele."
Mary Nash, "Nuevas dimensiones en la historia de la mujer".
Presencia y protagonismo. Aspectos de la historia de la mujer (1984)

"Nossa meta não é criar um novo território chamado 'história das mulheres', uma pequena concessão onde as mulheres possam trabalhar em paz, protegidas das contradições, mas sim mudar a direção do interesse histórico, situando a questão da relação entre os sexos como central. Esse é o verdadeiro objetivo da história das mulheres".
Michelle Perrot. *Writing women's history* (1992)

No dia 8 de março de 1996, o jornal *El mundo* publicava um artigo que tinha como título "Aquele 8 de março... que nunca existiu".[1] O artigo afirmava que não existia nenhuma confirmação documentada do fato histórico que motivou o nascimento do Dia Internacional da Mulher, ao menos o que amplamente se acreditava ser a origem do 8 de março: o incêndio de uma fábrica têxtil

---

1 Irene Lozano. "Aquel 8 de marzo... que nunca existió". *El mundo*, 8 de março de 1996, p. 53. [*El Mundo* é um jornal espanhol de ampla circulação (N.T.)]

de Nova York ocorrido nesse dia, no ano de 1908, causado por seu proprietário que, diante da ocupação e declaração de greve de suas empregadas, decidiu por fogo na fábrica com elas dentro, causando a morte de um grande número delas.

Diante de tais afirmações, que jogavam por terra o mito do 8 de março aceito em todos os círculos feministas, nos propusemos a desvendar as origens da celebração anual de uma data tão carregada de significado para o movimento feminista como é o Dia Internacional da Mulher, eliminando os falsos mitos que foram criados sobre ele. Da mesma forma, pretendemos resgatar do esquecimento histórico aquelas mulheres que o tornaram possível e, ao mesmo tempo, explicar e determinar os acontecimentos que de fato levaram à escolha do dia 8 de março para essa comemoração.

A corrente epistemológica que nos serviu de parâmetro para desenvolver nosso projeto foi a dos Estudos de Gênero (*Gender Studies*), nascida no final da década de 1960 nos Estados Unidos e difundida na Espanha na década de 1970.[2] Esta nova corrente, como um novo campo de estudo, ampliou os limites da história como disciplina acadêmica, ao atribuir às mulheres a categoria de sujeitos históricos cujo papel no processo evolutivo da humanidade havia sido silenciado até esse momento, por distintas correntes historiográficas.[3] O movimento de mulheres que se desenvolveu nos finais dos anos 1960 trouxe consigo a tomada de consciência da existência de uma experiência feminina comum, de uma identidade das mulheres ansiosas por conseguir autonomia, individualidade e, portanto, sua emancipação. Fazia-se necessário reescrever a his-

2 No ano de 1974 foi programado pela primeira vez um curso de História Social da Mulher, como parte da programação de História Contemporânea da Universidade de Barcelona.

3 A historiografia acadêmica tradicional limitava-se a estudar a vida de alguma mulher destacada; as correntes renovadoras, surgidas a partir da escola francesa dos *Annales*, estudavam a problemática da mulher dentro de esquemas interpretativos tradicionais; a historiografia marxista, apesar de sua proposta de realizar uma "história total", não se ocupou da história das mulheres já que considera as classes sociais como a força motriz da história e as mulheres como pertencentes às distintas classes sociais, ou seja, não são consideradas como um grupo social diferenciado do homem.

tória para incluir nela essa nova categoria formada por metade da humanidade e da qual se começava a tomar consciência.[4]

Dar esse passo, entretanto, não foi tarefa fácil. Em primeiro lugar, manifestar a necessidade de se escrever a história das mulheres supunha romper com a concepção androcêntrica da história. Até esse momento, o processo histórico havia sido considerado a partir da ótica masculina, dentro de um sistema de valores patriarcal e que considerava certos acontecimentos, processos e movimentos como dignos de análise histórica e ignorava ou excluía outros, por entender que não tinham nenhum tipo de incidência histórica. Questionava-se, pois, a prioridade que fora dada à história masculina (*his-story*) frente à feminina (*her-story*) e colocava-se em dúvida que os historiadores tradicionais estivessem contando a totalidade do ocorrido ao excluir de seu relato o sexo feminino.

Em segundo lugar, as historiadoras pioneiras tiveram que enfrentar críticas que as acusavam de deixar-se influenciar por sua ideologia, fenômeno que, necessariamente, corrompia o trabalho intelectual que pretendiam fazer, ao se identificarem pessoalmente com o objeto de estudo. Para reduzir estas acusações, estas profissionais tiveram que desenvolver um marco conceitual e uma metodologia que permitisse escrever de maneira "científica" a história das mulheres. O uso do termo "gênero" como categoria analítica aplicada aos estudos relacionados à mulher contribuiu para isso. A razão principal que levou as historiadoras estadunidenses a adotar esse vocábulo é que seu uso era mais conveniente, pois soava mais neutro e objetivo que a palavra "mulheres", uma vez que incluía as integrantes do sexo feminino sem nomeá-las explicitamente, e assim parecia não apresentar ameaças críticas. Ao mesmo tempo, a utilização do termo "gênero" sugeria – e sugere – que a história das mulheres implica necessariamente a história dos homens, que a história de umas não pode ser escrita sem a história dos outros,

---

4 Na segunda onda do feminismo se inscrevem, entre outros, os trabalhos de autoras como Kate Millet, *Sexual Politics* (1977); Shulamith Firestone, *A dialética do sexo. Em defesa da revolução feminista* (1976); Juliet Mitchell, *Psicanálise e feminismo* (1974); e Gerda Lerner, *Creation of Patriarchy* (1986).

e que a compreensão das relações entre os dois sexos não pode ser alcançada com estudos desenvolvidos em esferas separadas.[5]

Foram esses os princípios que nos guiaram no desenvolvimento de nosso estudo. Consideramos, aqui, ser conveniente fazer uma explicação de sua estrutura, com o objetivo de tornar mais fácil sua compreensão aos futuros leitores e leitoras. Antes de qualquer coisa, é preciso explicitar que a pesquisa foi desenvolvida primordialmente nos Estados Unidos, fato que condicionou em grande medida a organização de nosso estudo, uma vez que o acesso às fontes primárias pertinentes nos permitiu concentrar no estudo dos movimentos feministas e de mulheres socialistas estadunidenses. Não nos descuidamos, contudo, da análise dos mesmos fenômenos na Europa, pois, como demonstraremos, embora o 8 de março tenha adquirido um caráter internacional no velho continente, seus antecedentes devem ser buscados necessariamente naquele país norte-americano.

Nossa pesquisa se centrou nos arquivos e bibliotecas da Universidade de Harvard. Na Biblioteca Widener consultamos todo o material bibliográfico sobre os temas que nos interessavam para o trabalho, isto é, o movimento socialista de mulheres dos finais do século 19 e começos do século 20, a vida e obra de suas personalidades mais destacadas, as relações entre feminismo e socialismo no passado e no presente, e a evolução do movimento socialista internacional. Na Biblioteca Lamont examinamos a coleção que organiza a documentação da Organização das Nações Unidas desde sua fundação até a atualidade. Ali rastreamos o trabalho desenvolvido por esta instituição em favor das mulheres, prestando especial atenção a todas as disposições que se referem à celebração do Dia Internacional da Mulher em escala mundial. Nessa biblioteca também pesquisamos os índices do jornal *The New York Times*, desde o início do século 20 até 1945, com o objetivo de perceber a forma como um jornal desse tipo

---

5 Para uma análise mais completa do vocábulo "gênero" como categoria analítica da história das mulheres, recomenda-se a leitura do artigo de Joan Scott, 1990.

e com seu alcance repercutia a celebração da data. Na Biblioteca *Arthur and Elizabeth Schelesinger* sobre a história das mulheres tivemos acesso a coleções de documentação relacionadas com a vida pessoal e profissional das mulheres que nos interessavam; em particular, os interessantes depoimentos relacionados à vida e obra política de Charlotte Perkins Gilman e Leonora O'Reilly, além das conferências e discursos que foram pronunciados, em função de distintos acontecimentos, por mulheres proeminentes, como as socialistas Clara Zetkin e Lena Morris Lewis ou a sufragista Carrie Chapman Catt.

Uma vez que tanto a bibliografia como as fontes primárias consultadas estavam em língua inglesa, decidimos traduzir as citações e os documentos nos quais se apoia nosso trabalho, com o objetivo de facilitar aos possíveis leitores e leitoras sua completa compreensão. Assim, exceto quando expressamente indicado, os textos apresentados em castelhano foram traduzidos pela autora deste trabalho.

Organizamos o estudo em quatro capítulos, em relação aos temas abordados. O primeiro deles dedicado exclusivamente a esclarecer tudo o que se relaciona com o incêndio da Triangle Shirtwaist Company, catástrofe que ocorreu efetivamente, e com grandes consequências para o desenvolvimento do movimento operário estadunidense, mas não nas datas que estiveram em jogo para justificar a comemoração do Dia Internacional da Mulher no dia 8 de março.

As teorias socialistas sobre a questão da mulher são abordadas no segundo capítulo. Consideramos relevante repassar as teses dos teóricos socialistas porque, podemos adiantar a nossos leitores, o Dia Internacional da Mulher não nasceu de forma isolada. Ao contrário, seu nascimento se inscreveu em um contexto histórico e ideológico muito concreto e seu objetivo, em seu começo, não foi, contrariamente à ideia amplamente difundida, a rememoração de nenhuma catástrofe que envolveu um grande número de mulheres, mas sim reafirmar para a população feminina um direito tão elementar como o do sufrágio. Portanto, nessa parte, damos um papel destacado à obra de August Bebel, *A mulher e o socialismo* (1879), bem como ao movimento socialista alemão e sua líder Clara Zetkin (1857-1933), artífice em última instância da celebração em nível internacional de um dia dedicado a reivindicar os direitos das mulheres.

As origens do Dia Internacional da Mulher serão objeto de estudo do terceiro capítulo. A comemoração do 8 de março teve como antecedente a celebração do *Woman's Day*, organizado pelo Partido Socialista Americano. Comemorado no último domingo de fevereiro desde o ano de 1909, era um dia dedicado exclusivamente à reivindicação dos direitos das mulheres, entre os quais o mais importante era o direito ao sufrágio. O movimento sufragista burguês e o movimento de mulheres socialistas não se encontravam tão confrontados nos Estados Unidos como ocorria na Europa, devido a isso, consideramos necessário discutir a evolução do movimento sufragista americano, destacando os aspectos que o aproximavam e os que o separavam do movimento de mulheres socialistas.

Por último, o quarto capítulo retoma o processo pelo qual o *Woman's Day* se internacionalizou e a data do 8 de março foi escolhida para comemorar o Dia Internacional da Mulher. Para isso, tivemos que voltar à Europa e, mais concretamente, à antiga URSS [União das Repúblicas Socialistas Soviéticas], país que colocou em prática pela primeira vez na história as teorias socialistas. Nesse processo as mulheres jogaram um papel essencial, como demonstraremos. Nosso estudo da comemoração do 8 de março vai até o final da Segunda Guerra Mundial, data que marca o nascimento de uma nova ordem mundial, que deu início, em todos os níveis, a uma nova etapa da vida de homens e mulheres.

Temos consciência que deixamos inacabada nossa investigação, pois, se são interessantes as origens do Dia Internacional da Mulher, é igualmente interessante o estudo de sua evolução desde que foi retomado pela segunda onda feminista da década de 1960 até os nossos dias. Esse será o tema de uma futura investigação que esperamos poder abordar proximamente.

Só nos resta agradecer a todas aquelas pessoas que, de uma maneira ou de outra, tornaram possível esse trabalho vir à luz.

Em primeiro lugar, a todas as professoras doutoras que participam do Seminário de Estudos da Mulher, pois com seu entusiasmo e dedicação possibilitam que, ao se formar, os estudantes e as estudantes dessa universidade se iniciem nos estudos de gênero, por meio dos cursos do Programa Interdisciplinar de Doutorado "Estudos da Mulher".[6] Especialmente às doutoras Amparo Pedregal e Rosa María Cid, por redescobrir-nos a história e nos animar a reescrevê-la. Essa última, coordenadora deste estudo, merece menção especial por seus acertados conselhos, seu alento constante e pela confiança em mim depositada desde o momento em que manifestei meu interesse pelos estudos de gênero.

Ao doutor Francisco Erice, que, apesar de não estar ligado diretamente à trajetória acadêmica que segui em minha licenciatura, jamais me negou seu apoio e seu conselho.

À *American Heritage Association* (AHA), patrocinadora, juntamente com a Universidade de Oviedo, da bolsa-convênio que desfrutei nos períodos de verão de 1998 e 1999 e graças à qual pude desenvolver minha pesquisa na Universidade de Harvard. Ao senhor Robert Selby, coordenador da bolsa por parte da AHA, por sua gestão eficaz e pelo interesse demonstrado em tornar-me agradável a permanência nos Estados Unidos.

Às professoras Mary Jo Buhle, por sua colaboração desinteressada, e a Andrea S. Walsh e Alice A. Jardine, por ajudar-me a realizar minha pesquisa nos arquivos e bibliotecas da Universidade de Harvard, que pareciam, à primeira vista, inacessíveis.

A meu irmão, a quem devo em grande medida a realização deste trabalho pois, por meio das conversas encorajadoras que mantivemos durante o período em que desenvolvi minha pesquisa, me infundiu o ânimo necessário para encarar semelhante tarefa.

Finalmente, mas nunca em último lugar, a meus pais, a quem simplesmente devo tudo.

---

[6] Este estudo inscreve-se nos marcos do programa de doutorado mencionado, cursado pela autora durante o biênio 1996-1997, e constituiu seu trabalho de pesquisa, dirigido pela doutora Rosa María Cid López e defendido na Universidade de Oviedo, Espanha, em junho de 1999.

O incêndio da Triangle Shirtwaist Company e a criação do mito do 8 de março

"Dia Internacional da Mulher Trabalhadora: considera-se uma jornada de luta feminista em todo o mundo, em comemoração ao dia 8 de março de 1908 quando as trabalhadoras de uma fábrica têxtil de Nova York, chamada Cotton, declararam greve em protesto às condições insuportáveis de trabalho. O dono não aceitou a greve e as operárias, por isso, ocuparam a fábrica. O dono, então, trancou as portas e colocou fogo e as 129 trabalhadoras que ali estavam morreram queimadas (...)".
Victoria Sau, *Diccionario Ideológico Feminista* (1981)

"Reafirmo que as versões do 8 de março de 1857 e 1908 são falsas; que jamais houve uma greve em março de 1908 para ser comemorada; que a definição, em 1910, do Dia Internacional da Mulher tinha um objetivo completamente distinto, e que a verdade histórica do 8 de março inscreve-se em um passado feminista enterrado, ou melhor, falsificado e ocultado de forma apaixonada por essa lenda".
Renée Côté, *La Journée Internationale des Femmes* (1984)

"No dia 8 de março de 1908 – data que se toma como referência para a comemoração do Dia Internacional da Mulher – não houve nenhum incêndio em nenhuma fábrica têxtil de Nova York. Tampouco morreram nele, como se costuma contar, 156 mulheres. E tampouco ocorreu em 1857 ou em 1910".
El Mundo (1996)

Ao pesquisar a existência documentada de um incêndio que teria motivado a celebração do Dia Internacional da Mulher, nos deparamos com um relato que chegou a alcançar a categoria de mito e do qual só temos registro por meio da aceitação de sua transmissão oral ao longo de sucessivas gerações.

Mas antes de seguir adiante, temos que chamar atenção do leitor para um fato muito significativo, que demonstra ainda com mais força a confusão que existe sobre esta data. Dentro da historiografia feminista espanhola a origem do 8 de março se vincula, erroneamente, ao incêndio ocorrido no dia citado do ano 1908 em uma fábrica têxtil, provocado pelo próprio empresário contra as operárias em greve e presas no imóvel.[7] Na historiografia estadunidense, por outro lado, o mito girava em torno de uma manifestação de operárias do setor têxtil que teria acontecido, segundo algumas versões, no 8 de março de 1857; e, segundo outras, no 8 de março de 1908.[8] Para mostrar até que ponto esta crença estava enraizada, inclusive entre as próprias pesquisadoras da história das mulheres, recorremos às palavras de [Claire G. Moses citadas por]Temma Kaplan a propósito desta questão:

---

7 Esta história era repetida ano após anos nos jornais espanhóis, tanto nos de circulação regional como nacional, mas, por meio de nossa pesquisa, observamos como os dados oferecidos nem sempre coincidiam. *El País*, do 8 de março de 1977, publicou "(...) a história dos acontecimentos que deram lugar à designação do 8 de março como Dia Internacional da Mulher. Naquele mesmo dia de 1908, as trabalhadoras da fábrica *Cotton* de Nova York se declararam em greve e ocuparam a fábrica. O dono decidiu fechar as portas, incendiando a fábrica e matando as 129 mulheres que se encontravam em seu interior". (*El País,* 8 de março de 1977, p. 19). Dois anos mais tarde, *La Nueva España* publicava que "o 8 de março de cada ano, desde que assim foi decidido em 1910 na Confederação *[sic]* Internacional de Mulheres Socialistas, está marcado no calendário como "dia da mulher trabalhadora" em memória das operárias de uma fábrica têxtil de Detroit, EUA, que no dia 8 de março se declararam em greve, falecendo 129 em consequência de um incêndio provocado pela empresa". *La Nueva España*, 8 de março de 1978, p. 8.

8 Como exemplo, retomamos parte de dois artigos esclarecedores a respeito, encontrados em duas publicações canadenses:
"Recordemos que em 8 de março de 1910, no Congresso da Segunda Internacional Socialista, a alemã Clara Zetkin conseguiu que se aceitasse que o 8 de março fosse proclamado Dia Internacional das Mulheres em memória da greve desencadeada em Nova York no 8 de março de 1857 pelas trabalhadoras da *Lower East Side". Le Devoir*, 7 de março de 1981.
"No dia 8 de março de 1908 milhares de mulheres da indústria da agulha se manifestaram novamente em Nova York (...) pediam a proibição do trabalho infantil e o direito de voto para as mulheres". Agenda, 1978. "Notes sur l'histoire des femmes au Québec". Ambos citados em Renée Côté, *La Journée Internationale des Femmes*. Montreal: Les Éditions du Remue-Ménage, 1984, p. 8.

> A cada 8 de março, relatava a meus alunos de Estudos da Mulher a história do Dia Internacional da Mulher. É uma história que eu havia repetido várias vezes e que, portanto, conhecia bem. Uma manifestação espontânea organizada pelas trabalhadoras do setor têxtil da cidade de Nova York, protestando contra os baixos salários, a jornada de trabalho de 12 horas e as crescentes cargas de trabalho, foi dispersada pela polícia, de uma forma bastante brutal. Muitas jovens foram presas; algumas foram pisoteadas pela multidão. Cinquenta anos depois, no aniversário desta manifestação, foi estabelecido em sua memória o Dia Internacional da Mulher (Kaplan, 1985, p.163).

Basta um olhar sobre o calendário para colocar em cheque as duas teorias. O 8 de março de 1908 era domingo, um dia um tanto estranho para se declarar em greve e se trancar em uma fábrica ou para convocar uma manifestação, que não provocaria prejuízos ao empresário com a perda de um dia de trabalho. E isso, sem esquecer o trabalho da historiadora Renée Côté que, através da pesquisa que desenvolveu nos arquivos das mais prestigiadas universidades americanas e europeias, não encontrou rastro algum da existência de uma manifestação de tais características em nenhuma cidade dos Estados Unidos, nem em 1857 nem em 1908.[9]

Para desvendar a teoria do incêndio, o trabalho da historiadora estadunidense Mari Jo Buhle, especialista no movimento estadunidense de mulheres socialistas, é referência obrigatória. Em sua obra *As mulheres e o socialismo americano, 1870-1920* (*Women and American Socialism, 1870-1920*), estudou o incêndio da Triangle Shirtwaist Company, um acontecimento de extrema importância na história contemporânea dos Estados Unidos. Importante, porém, não por dar origem ao Dia Internacional da Mulher – que seria comemorado pela primeira vez poucos dias antes da tragédia –, mas por causar a morte das operárias que um ano antes, isto é, em 1910, haviam protagonizado a primeira greve

[9] As historiadoras Liliane Kandel e François Picq afirmam que o mito que situa a manifestação no ano 1857 foi criado em 1955 para eliminar o caráter comunista que mais tarde teria adquirido o Dia Internacional da Mulher. A data de 1857, segundo a versão dessas autoras, foi escolhida por ser o ano de nascimento de Clara Zetkin, a promotora da comemoração em escala internacional de um dia dedicado à reivindicação dos direitos da mulher. Liliane Kandel e F. Picq, "Le mythe des origines. A propos de la Journée Internacionale des Femmes". *La Revue* 12, (Automne 1982), p. 67-80.

realizada exclusivamente por mulheres, reivindicando melhorias em sua condição de trabalho.

Infelizmente, os incêndios desse tipo não eram um fato isolado nas instalações fabris dos Estados Unidos no início do século 20. Estudar a importância dos dois acontecimentos, a greve e o incêndio, nos ajudou a descobrir algumas pistas que nos levam a crer que a confusão criada na historiografia espanhola em torno das origens do Dia Internacional da Mulher pode ter partido desta catástrofe em particular. Uma outra questão é o dia escolhido para a comemoração, já que, como explicaremos a seguir, o incêndio ocorreu no mês de março, mas não no dia 8, e sim no dia 25. A explicação para a escolha deste dia teremos que buscar em outro país, em outro acontecimento muito distinto.

O incêndio da Triangle Shirtwaist Company

Levando em conta o que afirma M. I. Finley, que "as datas e um sistema coerente de estabelecimento da cronologia são tão essenciais para a história como a medição exata o é para a física"[10], a primeira questão que devemos esclarecer é a data em que ocorreu este incêndio tantas vezes contado e recontado. O fato que nos interessa não ocorreu em nenhuma das datas que foram se embaralhando. Aconteceu em 25 de março de 1911, a fábrica se chamava The Triangle Shirtwaist Company e se localizava no Lower East Side [região sudeste] da cidade de Nova York.[11] Ocupava os três andares superiores dos dez que tinha o Asch Building, construído na esquina de Green Street com Washington Place. Era um dos edifícios mais altos que foram erguidos com a passagem do século, para aproveitar ao máximo o terreno sempre escasso da cidade de Nova York.

---

10 Finley, 1977, p. 17.

11 Este incêndio foi descrito por Kirstin Olsen, nos seguintes termos: "25 de março de 1911: na cidade de Nova York se incendeia a Triangle Shirtwaist Company; 146 empregados, a maioria mulheres jovens, morrem. Não podem fugir pelas portas, que estavam fechadas com chave para evitar que os empregados pudessem sair furtivamente. A tragédia desperta o interesse de toda a nação pela segurança nas fábricas, e os proprietários da empresa são acusados de homicídio não premeditado". Em Kirstin Olsen, *Chronology of Women's History*. Londres: Greenwood Press, 1994, p. 190.

Os mais de 500 empregados da Triangle, em sua maioria mulheres jovens imigrantes entre os 16 e os 24 anos, se dedicavam à confecção de *shirtwaist*, peça de vestuário feminino muito em voga no final do século 19 e início do século 20, já que, junto com uma saia larga até os tornozelos, formava parte do traje diário da mulher daquele tempo.[12]

É necessário se deter nas características do edifício, pois elas nos darão as pistas das causas que originaram o incêndio. O Asch Building terminou de ser construído em 1901, tinha 135 pés de altura (41 metros) e sua estrutura, o assoalho, a moldura das janelas e portas eram de madeira, material de construção permitido pela lei vigente. Dadas as suas dimensões, o imóvel deveria ter sido equipado com três escadas de acesso, mas tinha apenas duas. Esta falta foi detectada pelo inspetor do Departamento de Construção (*Building Department*) da cidade de Nova York, mas o arquiteto conseguiu convencê-lo de que, já que havia uma saída de incêndios no bloco, a terceira escada não era necessária. Assim, esta terceira escada não chegou a ser instalada nunca e, das duas que foram construídas, tortuosas e estreitas, apenas a que dava acesso a Green Street chegava até o telhado. A outra, que desembocava em Washington Place, terminava no décimo andar.

O artigo 80 da Legislação Trabalhista Estadual (*State Labor Law*) estabelecia que as portas das fábricas deviam abrir para fora "onde fosse possível" e que não podiam estar fechadas com chave durante as horas de trabalho. No Asch Building todas as portas abriam para dentro, devido à estreiteza dos corredores e escadas. No Estado de Nova York não havia disposições legais que obrigassem os empresários a colocar equipamentos contra incêndio de abertura automática, que começariam a funcionar assim que se iniciasse um incêndio. Neste mesmo ano de 1911, tentou-se

---

12 Esta peça de roupa consistia em "peça de vestir feminina (como uma blusa ou um vestido) com detalhes copiados das camisas dos homens". *Merriam Webster's Collegiate Dictionary*. Massachusetts: Merriam Webster's Incorporated, 1997, p. 1082. Também era conhecida como *Gibson Girl*, por ter sido o ilustrador Charles Dana Gibson quem a popularizou através de seus desenhos.

declarar obrigatório esse sistema, que encarecia notavelmente o orçamento da construção dos novos edifícios, mas com o qual não se perderiam vidas humanas caso ocorresse uma tragédia imprevisível. No entanto, a associação dos proprietários (*Property League of Property Owners*) conseguiu paralisar a aprovação dessa normativa, alegando que só beneficiava os fabricantes desse sistema e que era uma carga econômica desnecessária. Os bicos de água contra incêndios da cidade, entretanto, só tinham capacidade para fazer a água jorrar de maneira eficiente até uma altura equivalente ao sétimo andar.

Apesar de tudo que foi dito, o Asch Building não era o único edifício que não cumpria as normas. No outono de 1910, o serviço de controle sanitário de Nova York (*New York Joint Board of Sanitary Control*) investigou as condições de 1.243 oficinas têxteis da cidade. Dessas, 99% foram declaradas inadequadas em matéria de segurança; 14 não possuíam saídas de incêndios; em 101 foram detectadas escadas defeituosas; 491 tinham apenas uma saída; em 23, as portas permaneciam fechadas com chave durante o dia; 58 estavam insuficientemente iluminadas; em 78, os acessos às saídas de incêndio estavam bloqueados e as portas de 1.172 (94%) abriam para dentro.[13] Não obstante, o proprietário do edifício estava de sobreaviso sobre as perigosas condições em que se encontrava seu imóvel, pois em 1909 havia recebido um informe elaborado pelo professor da Universidade de Columbia e especialista na prevenção de incêndios, P. J. McKeon, designado então para fazer uma inspeção técnica da Triangle Shirtwaist Company. Esse relatório, chamava a atenção para o elevado número de operários que trabalhavam amontoados nos três pisos que a empresa ocupava, motivo pelo qual considerava-se necessário instruir os trabalhadores sobre a forma de evacuar o edifício em caso de incêndio. Denunciava-se também que a porta que dava acesso para Washington Place tinha sido encontrada trancada com chave, que os homens fumavam nas dependências da fábrica, que

---

13 Dados extraídos de Stein, 1962, p. 26.

as luzes que iluminavam as escadas não eram adequadas e que as portas abriam para dentro. Tendo em vista as recomendações e apreciações do professor McKeon, o Departamento de Construção enviou uma carta aos proprietários da empresa, Isaac Harris e Max Blanck, de quem nunca recebeu resposta.

Tampouco houve resposta à carta enviada, no ano seguinte, pelo professor da Universidade de Nova York, Francis W. Aymar. Alarmado pelo incêndio que havia acontecido em 25 de novembro daquele mesmo ano em uma fábrica de Neward, em Nova Jersey, e que havia acabado com a vida de 25 trabalhadores, a maioria também mulheres jovens, este professor enviou uma carta ao citado Departamento de Construção na qual denunciava as condições perigosas em que trabalhavam os operários da Triangle, a quem podia ver diariamente da janela de seu gabinete.

E o que o professor Aymar via de sua janela era o nono andar do Asch Building, ocupado por 260 trabalhadores e por 240 máquinas de costura, ordenadas em 16 fileiras paralelas dispostas por todo o andar. Em cada fileira, havia 15 máquinas de costura; à frente de cada uma delas ficava uma operária, cujo único horizonte nas horas de trabalho estava delimitado pela companheira que ficava à sua frente, a que ficava atrás e as dos dois lados. Dada esta disposição, não é de se estranhar que, no momento em que se anunciou o incêndio e elas tentaram escapar, tenham se atropelado umas sobre as outras.[14]

Nessas condições trabalhavam os empregados da Triangle Shirtwaist Company quando, no sábado, 25 de março de 1911, por volta das 16h45, no oitavo andar começou o incêndio que acabaria com a vida de 146 trabalhadores.[15] Segundo testemunhas, algumas das quais foram entrevistadas por Leon Stein, jornalista desde 1942

---

[14] Apesar de que o mito conta que as empregadas da fábrica incendiada utilizavam uniformes de cor lilás, posteriormente adotado como a cor feminista por excelência, as fontes consultadas para determinar as condições de trabalho da Triangle não só não fazem menção a nenhuma cor, como nem sequer mencionam que estas operárias utilizassem uniformes.

[15] Os dados do texto sobre o total de vítimas indicam ora o número total de mortos, ora o número de mulheres mortas. Ou mesmo um número parcial até o momento relatado. (N.T.)

da revista *Justiça*, do Sindicato Internacional dos Trabalhadores em Confecções para Senhoras (International Ladies' Garment Workers' Union – ILGWU), elas ouviram um barulho, que descreveram como "um grande estampido", seguido pelo som de vidro quebrado. Logo começaram a ver fumaça saindo das janelas e volumes despencando. Num primeiro momento, imaginaram serem fardos de tecidos que as trabalhadoras tentavam salvar das chamas. Mas, quando o primeiro bateu no chão, viram com horror que eram os corpos das jovens que se jogaram no vazio, em uma tentativa desesperada de salvar a própria vida.

Esse desespero foi narrado por Rosey Safran, uma das sobreviventes, no jornal novaiorquino *The Independent*, de 20 de abril de 1911. Consideramos interessante reproduzir aqui seu testemunho por considerá-lo mais explícito que qualquer descrição que possamos dar dos fatos:

> Eu, junto com outras moças, estava no vestiário do oitavo andar do *Asch Building*, na Washington Place, às 4h40 em ponto, da tarde de sábado, 25 de março, quando ouvi alguém gritar "Fogo!". Larguei tudo e corri para a porta que dá para Washington Place. A porta estava fechada e, imediatamente, as meninas se amontoavam atrás dela (....) Eles (os chefes) mantinham todas as portas fechadas a chave o tempo todo por medo que as meninas pudessem roubar alguma coisa (...) Algumas meninas estavam gritando, outras esmurrando a porta com os punhos, outras tentavam derrubá-la (...)
>
> Eu não posso descrever como me sentia enquanto estava lá [na rua] olhando. Eu podia ver as pessoas, mas não seus rostos. Esperávamos que as redes dos bombeiros pudessem salvar alguém, mas elas não eram boas o suficiente para alguém que saltava de tão alto (*The Independent*, 20 de abril de 1911, p. 840-841. Citado em McClymer, 1998, p. 89-90).

O que aconteceu dentro do prédio não é difícil de imaginar. O fogo, como ficou demonstrado depois no julgamento, começou no oitavo andar, quando um trabalhador, pronto para ir embora para casa, acendeu um cigarro e jogou o fósforo perto de um monte de tecidos. Uma vez começado o incêndio, o fogo se espalhou pelo resto do prédio muito rapidamente. Era fácil acontecer isso, se levamos em conta que o assoalho, portas, janelas, mesas, cadeiras eram de madeira e havia vestígios de óleo para lubrificar as máquinas e pilhas de tecido em toda parte. As operárias, a maioria imigrantes italianas e russas, não tinham um bom domínio do inglês. Não havia indicações em seu próprio idioma que lhes indicasse a saída, nem conheciam com detalhes a estrutura do prédio, por isso entraram em pânico. Os trabalhadores que estavam no décimo andar naquele momento – onde, precisamente, estavam também os dois proprietários da empresa – puderam salvar-se alcançando o telhado e passando para o prédio vizinho. Também escaparam do horror aqueles que conseguiram entrar em uma das três viagens que os elevadores conseguiram fazer. Mas para as empregadas que estavam no oitavo e nono andares, a única escapatória eram as portas que levavam às duas únicas escadas do prédio. Quando se dirigiram para a escada que levava até Washington Place a encontraram trancada a chave; e a que dava para Green Street logo ficou inviabilizada pela avalanche de pessoas que se aglomeravam em direção a ela tentando chegar à rua. O resultado final foi 146 vítimas. Os corpos, levados na mesma tarde para o necrotério do Hospital Bellevue, não puderam ser identificados pelos familiares até perto da meia-noite. Até então, haviam sido recolhidos 136 corpos, dos quais 13 eram homens e 123 mulheres. Sete corpos estavam em um estado tal que a sua identificação foi impossível, por isso decidiu-se enterrá-los em uma vala comum.

A tragédia chocou toda a sociedade estadunidense. Prova disso é que os principais jornais do país, *The New York Times*, *The World*, *The Evening Journal*, *The Survey* deram uma grande cobertura à notícia, que foi chamada por um deles de "o mais assustador horror desde o desastre de Slocum (barco naufragado em 1904 no East River) e o incêndio do Teatro Iroquois, em Chicago".[16]

Enterrados os corpos das vítimas, o passo seguinte era encontrar os responsáveis pelo ocorrido, para que as mortes de 146 trabalhadores não tivessem acontecido em vão. As organizações que realizaram os principais atos de protesto, reunindo milhares de pessoas, foram a Liga Sindical de Mulheres (Women's Trade

---

16 *The New York World*, 26 de março de 1911, XVIII-IX e em Stein, 1962, p. 85.

Union League – WTUL) e o Sindicato Internacional dos Trabalhadores em Confecções para Senhoras – ILGWU, os sindicatos mais poderosos do setor têxtil. Oito dias após a tragédia, a Sucursal 25 do ILGWU, cuja presidenta era Leonora O'Reilly, organizou o primeiro dos atos de protesto, que contou com a presença, entre outros, de A. L. Simons, editor do *Chicago Socialist*. Ele encorajou as trabalhadoras a se filiarem aos sindicatos para controlar os abusos cometidos pelos empresários. Suas palavras foram:

> Temos os votos; por que não deveríamos ter o poder? O futuro de vocês está no sindicalismo. Seu sindicato deveria ter o direito de decidir questões relativas aos trabalhadores e só pode conquistar esse direito por meio da organização. Estas 142 mortes são o resultado da economia por parte do capital do preço de outra saída de incêndio (*The New York Times*, 30 de março de 1911, p. 99).

O WTUL, por sua vez, organizou outro comício no Metropolitan Opera House de Nova York. Estiveram presentes representantes de 20 organizações trabalhistas e civis, além das socialistas Mary Beard e Ida Rauh, entre outras, que aproveitaram a oportunidade para passar um questionário sobre segurança nos locais de trabalho para as trabalhadoras ali reunidas. A principal oradora deste ato foi Rose Schneiderman, vice-presidenta da WTUL, que, depois de comparar as condições de trabalho da época com as torturas praticadas pela inquisição, incentivou as trabalhadoras a se organizarem, porque "o único meio de poderem se salvar é através de um movimento sindical forte".[17]

Não foram os sindicatos, no entanto, os únicos que organizaram atos de protesto. A Liga de Ensino Superior pela Igualdade de Voto (Collegiate Equal Suffrage League), realizou em 31 de março um ato de protesto contra as más condições de trabalho existentes. Neste ato estiveram presentes a dra. Anna Shaw, presidenta da Associação Americana Nacional pelo Sufrágio para a Mulher (American National Woman Suffrage Association) e Morris Hillquit, advogado socialista. Culparam os homens

[17] *New York Times*, 4 de abril de 1911, p. 101-102.

pela tragédia, por não terem sabido utilizar seu voto para exigir leis que regulassem as condições de trabalho. Em seus cartazes lia-se o seguinte:

> O voto para as mulheres! Portas trancadas, superlotação, saídas de incêndio inadequadas. Mudar essas condições; as mulheres não puderam, os eleitores (homens) não o fizeram. Exigimos para todas as mulheres o direito de se protegerem (Citado em Stein, 1962, p. 139).

O último episódio desta história foi o julgamento em que os donos da Triangle Shirtwaist Company foram indiciados pelo promotor do distrito por homicídio não premeditado. A acusação alegou que algumas vítimas morreram porque a porta do nono andar que dava para Washington Place estava trancada a chave. Os artigos 80 e 94 da Lei Trabalhista do Estado de Nova York estabeleciam que todas as portas de fábricas e oficinas deviam permanecer abertas durante o horário de trabalho. Esta era uma infração penalizada apenas com multa; se porém, como consequência desse fato, resultasse a morte de alguém, o responsável seria culpado de homicídio culposo. A acusação, portanto, teria que provar não só que a porta estava trancada por ordem de Blanck e Harrys, mas também que alguém morrera em consequência disso.

Eram estas as acusações em que se centrou o julgamento, iniciado em 5 de dezembro. Não julgava outras condições, como a grande quantidade de material inflamável ou o grande número de máquinas que se amontoavam na oficina. Tampouco foram examinadas as condições em que se encontrava o prédio que, duas semanas antes, havia passado por inspeção realizada pelos técnicos da segurança do trabalho do Estado.

O júri, composto apenas por homens, porque as mulheres naquela época não podiam atuar como juradas no Estado de Nova York, acabou declarando os proprietários da Triangle inocentes da acusação. A defesa argumentou que não era possível provar que eles tivessem mandado fechar a porta. A porta poderia, também, ter sido trancada por algum dos operários, no meio do caos, tentando escapar por ela.

A única consequência positiva de toda esta tragédia foi a criação da Comissão de Investigação das Fábricas (Factory Investigating Commission). A partir da investigação realizada em um grande número de fábricas sobre o risco de incêndios, as medidas de prevenção de acidentes e riscos para a saúde e, após o estudo das normas e estatutos em vigor naquele momento, a Comissão recomendou a elaboração de uma nova legislação. As sugestões que a Comissão apontou no relatório preliminar de suas investigações, publicado em 1912, transformaram-se em lei mais tarde, quando Franklin Roosevelt tornou-se governador do Estado de Nova York. Assessores do governador e futuro presidente, como Frances Perkins e outros, tinham sido integrantes dessa comissão. Aliás, Frances Perkins foi Secretária do Trabalho em 1933, sob a administração Roosevelt, tornando-se a primeira mulher na história dos Estados Unidos a chegar a uma posição como esta.

Entre as recomendações, que se transformariam em leis não só no Estado de Nova York, mas também em vários outros Estados, estavam a redução da jornada de trabalho das mulheres, a limitação da idade das crianças para começar a trabalhar, a proibição do trabalho noturno para mulheres, as compensações econômicas pelos acidentes de trabalho, as medidas para preveni-los e a exigência de normas mais rígidas para a instalação de fábricas e estabelecimentos comerciais.

A greve das *Shirtwaist-makers*

O incêndio da Triangle Shirtwaist Company foi uma grande tragédia que atingiu todos os setores da sociedade dos Estados Unidos, mas isso não explica por si só o tratamento que recebe até hoje, depois de quase um século, na historiografia estadunidense.[18] A história está repleta de catástrofes que os historiadores

---

[18] Exemplo do interesse que o assunto despertou, não só na historiografia estadunidense, mas também na literatura produzida em meados dos anos 1980 por mulheres comprometidas com os problemas da classe trabalhadora, é o artigo de Karen Kovacik, "Words of fire for our generation: Contemporary working-class poets on the Triangle fire", *Women's Studies Quarterly*, XXIV Nº 1 e 2 (Primavera/Verão, 1998), p. 137-158.

contemporâneos parecem ignorar. O que fez, então, com que este incêndio atingisse tais dimensões, chegando, inclusive, a alcançar a categoria de mito?

São várias as razões que podemos apontar. Entre elas, está a maneira horrível como essas mortes ocorreram, o fato de que a maioria das vítimas eram mulheres jovens entre 16 e 25 anos, imigrantes vindas principalmente da Itália e da Europa Oriental que haviam deixado seus países de origem em busca do sonho americano. Porém, a principal causa para que este acontecimento não caísse no esquecimento é o fato de que as vítimas não eram desconhecidas, pois foram as protagonistas da greve geral do setor têxtil conhecida na historiografia como "O levante das 20 mil" ou "O levante das 30 mil".[19] Com duração de 13 semanas e resistindo a uma frente unida de empresários, juízes, advogados e policiais, essa se tornou a greve mais importante já realizada até este momento envolvendo apenas mulheres trabalhadoras.[20] Foi também uma resposta àqueles que afirmavam que as mulheres eram incapazes de se organizar e, portanto, o movimento operário não podia contar com elas para enfrentar uma luta longa e dura.

Nele, a autora analisa os poemas sobre o incêndio escritos por duas poetisas oriundas da classe trabalhadora, Chris Llewellyn e Mary Fell, representantes da tendência que, em meados da década, se manifestou entre algumas poetisas americanas de recuperar a memória desta tragédia e comparar as causas que a desencadearam com a situação que então viviam no país. Em plena era Reagan, com o argumento de enfrentar a concorrência de outros mercados como o asiático, principalmente, foram aprovadas leis, nos Estados Unidos, favorecendo o desenvolvimento empresarial em detrimento dos direitos dos trabalhadores. Era também um momento em que era fácil encontrar mão de obra barata, especialmente entre os imigrantes da América Latina e da Ásia. Nesse contexto, parecia que se voltavam às práticas de Harrys e Blanck, com a instalação de fábricas em prédios em ruínas das zonas portuárias das cidades do Leste e na Califórnia, pagando baixos salários e, em resumo, não respeitando os direitos dos trabalhadores.

19 *The uprising of the twenty thousand* ou *The uprising of the thirty thousand.*

20 Não foi, sem dúvida, a primeira greve em que as mulheres se envolveram. A primeira greve de trabalhadoras que se teve notícia foi em 1824, em Pawtucket (Rhode Island), por aumento dos salários e redução da jornada de trabalho. E, embora logo tenham se unificado com seus companheiros homens, as mulheres continuaram organizando seus comícios e reuniões em separado.

Quem eram essas mulheres? Como já mencionamos, eram imigrantes vindas da Itália e da Europa Oriental em sua maioria, que chegaram à América em busca de melhores condições de vida. A América do começo século 20 já não era uma América exclusivamente rural, mas começava a desenvolver uma indústria forte na qual, para os imigrantes que chegaram em ondas enormes ao país durante as décadas de 1880 e 1890, era fácil encontrar um emprego.

Chegando à cidade de Nova York, a área onde os imigrantes se estabeleciam era a região sudeste da cidade (*Lower East Side*). Entre 1900 e 1905, essa era a área mais densamente povoada de todos os Estados Unidos, principalmente por italianos e judeus. Suas casas ficavam em prédios escuros e úmidos, divididos em pequenos cômodos com pouca ventilação, onde estavam expostos ao contágio de todo tipo de doença. Ali não era difícil encontrar um emprego na chamada "indústria da agulha", graças à sua experiência anterior em ofícios como alfaiates e costureiras. Seus principais problemas eram a pobreza e a ignorância, por isso eram presas fáceis para a exploração e, assim, aceitavam qualquer emprego sujeitando-se a longas horas de trabalho e baixos salários. Nesse ambiente, não é difícil entender por que o discurso socialista encontrou um terreno fértil, chegando, inclusive, a incorporar ao calendário judaico a comemoração do Dia do Trabalho e do 1º de Maio.[21]

No setor têxtil, as mulheres constituíam a maior parte da mão de obra.[22] As condições em que trabalhavam eram deploráveis. A jornada de trabalho era das oito da manhã às seis e meia da tarde, com 30 minutos de intervalo para a refeição. A carga horária semanal, que normalmente era de 56 horas, poderia chegar a 70 horas na temporada de maior movimento.[23]

---

21 Nos Estados Unidos o Dia do Trabalho (Labor Day) é comemorado no mês de setembro (N.T.)

22 A origem das mulheres era muito diversa. As judias procedentes do Leste representavam 55% da força de trabalho no setor; as italianas, 35%; e as nascidas nos Estados Unidos eram 7%. Dados extraídos de Basch, 1990, p.13.

23 Como o setor têxtil estava sujeito às mudanças da moda e ao sistema de subcontratação, a distribuição do trabalho e, portanto, do salário variava muito durante o

Sadie Frown, uma jovem de 16 anos empregada numa oficina do Brooklyn, relatou ao *The Independent* as condições em que ela e suas companheiras trabalhavam, nos seguintes termos:

> Às sete horas em ponto, todas nós estamos sentadas em nossas máquinas e o chefe traz para cada uma a pilha de trabalho que a gente deve terminar até o final do dia, o que em inglês eles chamam "tarefa". Esta pilha é colocada perto da máquina, e assim que uma saia fica pronta, ela é colocada do outro lado da máquina. Às vezes, o trabalho não está acabado até as seis da tarde e então, quem ainda estiver atrás da pilha deve fazer horas extras. (...) As máquinas vão como loucas o dia todo, porque quanto mais rápido você trabalhar, mais dinheiro você ganha. Às vezes, na minha pressa, me espeto e a agulha me atravessa o dedo. É tão rápido que não machuca muito. Enrolo o dedo com um pedaço de algodão e continuo trabalhando. Todos temos acidentes como esse. Quando a agulha perfura a unha, o dedo se infecciona. Quando você quebra um osso, machuca muito. Às vezes você tem que amputar o dedo (...) No início, alguns homens jovens eram muito mal educados. Quando passavam por mim, tocavam meu cabelo e falavam dos meus olhos e das minhas bochechas vermelhas e faziam piadas. Eu chorava e dizia que se não parassem, deixaria o emprego. O chefe dizia que não deveriam fazer isso, que ninguém devia me amolar (....) (*The Independent*, 54, 25 de setembro de 1902, p. 2279-2282. Citado em McClymer, 1998, p. 13-16).

Quase 60 anos depois, a poetisa Mary Fell expressou em seu poema "O sonho do empresário industrial" o ideal de trabalhador que os donos da indústria têxtil do início do século 20 desejavam, que não se diferenciava muito do que buscavam os empresários estadunidenses de meados da década de 1980:

---

ano. O ritmo sazonal, com uma demanda maior na primavera e no outono, e com períodos de quatro a oito semanas sem trabalho, tornava praticamente impossível estar empregado o ano todo. Além disso, os salários eram muito desiguais. Em algumas fábricas, se ganhava por peça produzida; em outras, o trabalho era distribuído desde os desenhistas, geralmente homens e os mais bem pagos (ganhando de 12 a 16 dólares por semana), até os trabalhadores, em sua maioria mulheres, que recebiam salários de oito a dez dólares, o que dificilmente daria para cobrir as despesas básicas de moradia, alimentação e saúde.

Industrialist's Dreams

This one's
dependable won't
fall apart
under pressure doesn't
lie down on the job
doesn't leave early
come late
won't join unions
strike
ask for a raise
unlike one hundred
forty six
others I could name
who couldn't
take the heat this one's
still at her machine
and doubtless
of spotless moral
character you
can tell by the bones
pure white
this one
does what she's told
and you don't hear
her complaining.

O sonho do empresário industrial

Esta aqui é confiável
não irá desmoronar
sob pressão
não dorme sobre o trabalho
não sai mais cedo
ou chega atrasada
não vai se juntar aos sindicatos
fazer greves
pedir aumento de salário
ao contrário de cento
e quarenta e seis
outras que eu poderia mencionar
que não suportaram
o calor suportado por esta aqui
imóvel em sua máquina
e sem dúvida
de caráter moral imaculado
pode-se dizer pelos ossos
branco puro
esta aqui
faz o que lhe é ordenado
e dela não se escuta
qualquer reclamação.

Mary Fell. Citado em Kovacik,
Words of fire for our generation, p. 148

Embora a Sucursal 25 da ILGWU, principal sindicato dos trabalhadores do setor têxtil, tenha tido aumento no número de seus filiados, chegando a 20 mil em torno de 1910, a proporção de mulheres nos sindicatos ainda era muito pequena. As trabalhadoras tinham salários baixos e empregos instáveis, por isso não lhes restava ânimo para dedicar-se à organização sindical. Além disso, a grande maioria era de jovens solteiras que, assim que se casassem, abandonariam seus empregos para dedicar-se a seu lar, que era ao que todas aspiravam. Outra razão que dificultava a filiação das mulheres ao sindicato era o fato de que sua atitude em relação ao sindicalismo variava segundo o grupo étnico ao qual pertencessem. As italianas, mais influenciadas pela Igreja, raramente se filiavam aos sindicatos; as judias, por outro lado, estavam rapidamente dispostas a fazê-lo; e as nascidas nos Estados Unidos, por sua vez, tinham um sentimento exagerado de sua posição privilegiada no mercado de trabalho em relação às imigrantes e, por isso, não consideravam necessário participar desse tipo de atividades.

A paralisação começou no dia 27 de setembro de 1909, precisamente na Triangle Shirtwaist Company. Os empregados da fábrica foram proibidos de entrar no trabalho sob o pretexto de que não havia tarefas para realizar naquele dia e declararam greve, iniciando um protesto ao qual se uniram 40 mil trabalhadores. Isso desbaratou completamente a indústria têxtil, não apenas no Estado de Nova York, mas em todo o país, pois a manifestação também teve grande adesão nas cidades de Chicago, Rochester, Cleveland e Filadélfia, entre outras.

Os trabalhadores demandavam salários mais altos, melhorias nas condições de trabalho, abolição do sistema de subcontratação e das multas, jornada de trabalho de 52 horas semanais, distribuição regular de trabalho durante todo o ano, limitação das horas extras a menos de duas horas e não mais que três dias na semana e, sobretudo, o reconhecimento de seus direitos sindicais. Os empregados das empresas Leiserson's e da Rosen Brothers rapidamente se uniram aos operários da Triangle. Os donos das empresas reagiram criando a Associação de Proteção Mútua dos Empregadores (*Employer's Mutual Protective Association*), que mais tarde se converteria na Associação das Manufaturas de Vestidos e Camisas (*Waist and Dressmakers Manufactures' Association*), organização que representava os interesses dos empresários.

Quando a greve já estava se espalhando pelo *Lower East Side*, foi realizada uma assembleia no sindicato das empresas Cooper (*Cooper Union*), no dia 22 de novembro, que deu início de maneira oficial à greve geral. Os principais oradores foram Samuel Gompers, presidente da Federação Americana do Trabalho – AFL

(*American Federation of Labor*), e Margaret Drier, presidente da Liga Sindical de Mulheres (*Women's Trade Union League*). No entanto, a protagonista do evento foi Clara Lemlich, uma jovem empregada da empresa Leiserson's que tinha sido presa sete vezes pela polícia. Abrindo caminho na multidão que abarrotava a sala, ela pronunciou as seguintes palavras consideradas lendárias na história do movimento operário estadunidense:

> Sou uma operária, uma dessas que estão em greve contra condições intoleráveis [de trabalho]. Estou cansada de escutar os oradores. (...) Estamos aqui é para decidir se iremos ou não entrar em greve. Apresento uma resolução a favor de declarar a greve geral já (Citado em Basch, 1990, p. 31).

No dia seguinte, 15 mil mulheres já estavam em greve. Desde aquele momento todo o aparato da WTUL se colocou em movimento. Era preciso organizar linhas de piquetes, pagar as multas e as fianças das que iam presas, convocar assembleias, editar boletins, planejar táticas contra os chefes e a polícia, informar os trabalhadores sobre o andamento das negociações. O financiamento para todas essas atividades era obtido com as cotizações dos filiados, mas, sobretudo, com as doações que as mulheres mais ricas da cidade faziam em apoio às grevistas e à sua causa, em uma singular solidariedade entre mulheres, que deixava de lado as diferenças de classe.[24]

As 13 semanas de greve foram duras para todos, mas principalmente para as mulheres que atuavam nos piquetes. Mal vestidas e pior alimentadas, elas passavam longas horas nas ruas, sob a chuva e o frio,[25] enfrentando insultos e grosserias de capangas contratados

---

24 Efetivamente, as grevistas não estavam sozinhas. Além do apoio sindical, receberam também o apoio das organizações de mulheres sufragistas, como a Liga de Mulheres Independentes pela Igualdade Política (*Political Equality League of Self Supporting Women*), o Partido pelo Sufrágio para a Mulher (*Woman's Suffrage Party*) e a Associação Americana Nacional pelo Sufrágio para a Mulher – NAWSA (*National American Woman Suffrage Association*). Essas entidades uniram sua causa a favor do voto feminino com a das grevistas. Também receberam apoio do Partido Socialista, que considerava o evento um exemplo da luta de classes.

25 Os três meses de duração da greve, de final de novembro a meados de fevereiro, coincidem com o período do inverno no hemisfério norte. Na região de Nova York, a temperatura chega a ficar abaixo de 0ºC, principalmente, em janeiro e fevereiro. (N.T.)

pelos empresários. Muitas eram, além de tudo, presas pela polícia e acusadas perante o juiz de impedir suas companheiras de entrar no trabalho, sendo condenadas e enviadas à prisão durante vários dias.

No dia 15 de fevereiro de 1910, a ILGWU declarou a greve oficialmente encerrada. Trezentas e trinta e nove firmas tinham feito acordos com os trabalhadores; 13 empresas, entre elas a Triangle Shirtwaist Company, não chegaram a nenhum acordo com seus empregados, se tivessem aceitado as reivindicações das grevistas, o incêndio que ocorreu no ano seguinte provavelmente não teria acontecido.

Se recordamos as duas teorias que explicávamos no início deste capítulo, a do incêndio e a da manifestação, e as comparamos com os dois episódios que acabamos de analisar, o incêndio e a greve, obteremos uma série de coincidências. Elas demonstram que sob o mito existe parte de verdade e que a tradição não somente transmite parte do passado mas, em certa medida, também o recria, selecionando e concentrando certos fragmentos do passado, de modo que adquira permanência e significado universal. Todos os eventos aconteceram na cidade de Nova York; as protagonistas são mulheres da classe operária; é certo que um incêndio foi provocado, ainda que não de maneira premeditada, e que no ano anterior tinha ocorrido uma greve protagonizada por mulheres que reivindicavam melhores condições de trabalho; foram organizadas manifestações em apoio às grevistas; houve violência policial e houve, sobretudo, um sentimento extraordinário de solidariedade entre as mulheres desenvolvido de tal forma que ultrapassou as diferenças de classe, religião e etnia.

Apesar de tudo isso, este acontecimento, que é relevante na história do movimento operário estadunidense, não é relevante para o estudo da origem do Dia Internacional da Mulher. O que é importante de ser destacado sobre o nascimento do 8 de março é o contexto social, político e ideológico no qual ele surgiu, e é isso que nos propomos a discutir em seguida.

Os teóricos socialistas e a questão da mulher

"A mulher e o trabalhador têm em comum o fato de serem oprimidos desde tempos imemoriais. Apesar das modificações que sofreu na forma, esta opressão se manteve invariável. Ao longo da história, tanto a mulher como o trabalhador raras vezes tiveram consciência clara de sua servidão; menos ainda a primeira, que era colocada em nível mais baixo que o operário porque foi e ainda é considerada por este como um ser inferior. Uma escravidão que dura centenas de gerações termina convertendo-se em costume; a herança e a educação fazem com que pareçam "naturais" a ambas as partes. Deste modo, a mulher se acostumou a considerar tão normal esse estado de inferioridade, que é trabalhoso persuadi-la do quão indigna é sua posição atual, e de que deve aspirar a ser um membro na sociedade investido de direitos iguais aos do homem, seu igual em todos os sentidos".

August Bebel, *A mulher e o socialismo*

"A família individual moderna se funda na escravidão doméstica explícita ou mais ou menos dissimulada da mulher (...) Hoje, na maioria dos casos, o homem tem que ganhar os meios de vida, tem que alimentar a família, pelo menos nas classes possuidoras; e isto lhe dá uma posição preponderante que não necessita ser privilegiada de um modo especial pela lei. O homem é na família o burguês; a mulher representa nela o proletariado".

Friedrich Engels, *A origem da família, da propriedade privada e do Estado*

O Dia Internacional da Mulher, como data de forte significado para o movimento de mulheres que se desenvolvia na Europa no período de passagem do século 19 para o século 20 e, na atualidade, para as mulheres de todo o mundo, não surgiu do nada, assim como todo acontecimento histórico. Seu nascimento teve como base ideológica as teorias socialistas da segunda metade do século

19. E não podia ser de outra forma, já que foram os socialistas os que dedicaram mais espaço em seus escritos e mais tempo em suas atividades políticas à chamada "questão da mulher".[26] Conscientes da situação de inferioridade e opressão que as mulheres sofriam na sociedade e na família, e de que a posição delas havia piorado com seu acesso ao trabalho remunerado, os socialistas faziam coincidir as causas das mulheres com as do proletariado já que, segundo suas teorias, a solução de todos os problemas de ambos os grupos estava na futura sociedade socialista, na qual a propriedade privada dos meios de produção, raiz de todos os males da sociedade capitalista, seria eliminada. Portanto, para que as mulheres participassem na luta proletária e para que a revolução socialista fosse bem-sucedida – promessa de um futuro portador de esperanças para mulheres e operários –, era necessário incluí-las nos programas dos partidos socialistas e desenvolver um intenso trabalho de agitação e educação política entre elas, educação a que as mulheres jamais tinham tido acesso.

No calor desta ideologia, desenvolveu-se na Alemanha o poderoso movimento alemão de mulheres socialistas, apoiado e estimulado pelo Partido Social-Democrata Alemão (*Sozialdemokratische Partei Deutschlands*, SPD), líder da Segunda Internacional Socialista, e comandado por Clara Zetkin, a mulher que se revelaria como a promotora da comemoração em escala internacional de um dia especial dedicado à reivindicação dos direitos das mulheres.

---

26 Entretanto, temos que mencionar que o interesse pela situação social e legal da mulher e a irrupção de demandas específicas por seus direitos políticos coincidem com a Revolução Francesa de 1789. São do início da década de 1790 as obras do Marquês de Condorcet, *Sobre a admissão das mulheres ao direito de cidadania* (1790); de Olympe de Gouges, *Declaração dos direitos da mulher e da cidadã* (1791); da inglesa Mary Wollstonecraft, *Reivindicação dos direitos da mulher* (1792), nas quais se exigia firmemente a emancipação das mulheres. Para uma leitura comentada dos textos escritos pelos principais teóricos iluministas sobre a situação das mulheres, recomenda-se a leitura do trabalho de Alicia H. Puleo, 1993.

A MULHER E O SOCIALISMO DE AUGUST BEBEL[27]

Apesar de serem os principais expoentes da doutrina marxista, Karl Marx (1818-1883) e Friedrich Engels (1820-1895) não escreveram nenhuma obra completa dedicada exclusivamente à problemática da mulher. A razão é muito simples. Na análise marxista, é a classe trabalhadora em seu conjunto o motor da revolução; e assim, a mulher, não sendo identificada como um grupo social diferenciado, não constituía um elemento de estudo especial. Não obstante, não foram insensíveis à situação da mulher e seu interesse pelo tema manifesta-se através da leitura de suas principais obras.[28] De acordo com as reflexões que Marx e Engels realizaram sobre a situação da mulher na sociedade e no sistema de produção capitalista, devemos concluir que, segundo a doutrina marxista, a mulher estava submetida a uma dupla opressão. De um lado, estava subordinada à autoridade de seu marido dentro do casamento[29] e, de outro lado, sofria, da mesma forma que os

---

27 Embora nossa análise seja enfocada principalmente na obra de August Bebel, representante do chamado socialismo científico, é justo lembrar que na primeira metade do século 19 os representantes do socialismo utópico já haviam tratado do tema da mulher em seus escritos. O primeiro deles foi Charles Fourier (1772-1837), autor em 1808 da máxima "a extensão dos privilégios para a mulher é o princípio geral de todo progresso social", que seria repetida por socialistas e feministas desde Flora Tristan a Karl Marx. Robert Owen (1771-1858), antes de Engels, pretendia abolir o matrimônio tradicional, que convertia as mulheres em "escravas familiares", em favor de uma comunidade em que homens e mulheres fossem independentes uns dos outros em todos os sentidos. O Conde de Saint-Simon (1760-1825) era também partidário da igualdade formal entre homens e mulheres. De fato, entre os seguidores de suas doutrinas havia um elevado número de mulheres que, com Suzanne Voilquin à frente, conseguiram editar desde 1832 até 1835 seu próprio jornal, *A Tribuna das Mulheres*, que se revelou em muitos aspectos um precursor do feminismo contemporâneo. Também houve exceções a esta regra, como é o caso de Pierre-Joseph Proudhon (1809-1865) que, ecoando o temor dos homens ao ver as mulheres competindo com eles por um posto de trabalho, era partidário de devolvê-las à economia doméstica e seria mais tarde lembrado por seu comentário "as mulheres somente podem ser donas de casa ou prostitutas".

28 Para um estudo detalhado do tratamento que Marx e Engels fazem da questão da mulher, recomenda-se a leitura da obra de Lise Vogel, 1989.

29 Não é por acaso que Engels sustenta: "o primeiro antagonismo de classes que apareceu na história coincide com o desenvolvimento do antagonismo entre o homem e a mu-

homens, a opressão exercida sobre todo o proletariado pelos empresários capitalistas, embora em um grau maior que os homens, já que elas chegavam a receber, pelo mesmo trabalho, até a metade do salário que recebia um operário.

A estratégia para acabar com esta situação exigia que as mulheres obtivessem a equiparação política com os homens. Dessa forma, poderiam usar seus direitos políticos para lutar pela igualdade de direitos e por sua independência econômica. Apenas quando ambos os sexos fossem totalmente iguais dentro do capitalismo poderiam lutar juntos pela libertação, assegurada unicamente pelo socialismo. A paridade política entre os sexos era a pré-condição necessária para a luta pela completa emancipação humana.

De fato, deve-se a Marx e a Engels o estabelecimento, pela primeira vez, da relação entre a revolução socialista, a libertação das mulheres e a luta pela igualdade de direitos, conceitos que se repetirão ao longo deste ensaio por serem os motivos que inspiraram, em suas origens, o nascimento do Dia Internacional da Mulher. O que as mulheres buscavam no socialismo era o reconhecimento e o respeito a seus direitos, bem como o instrumento que as conduziria, junto ao restante da humanidade, à sua libertação. E, precisamente, o reconhecimento de um desses direitos, o direito de voto, foi o que inspirou o Dia Internacional da Mulher.

Ao movimento socialista alemão coube o privilégio de produzir a obra mais destacada sobre a questão da opressão das mulheres. Esse mérito deve ser atribuído a August Bebel (1840-1913), um dos principais líderes do Partido Social-Democrata Alemão, e o primeiro teórico marxista que escreveu um livro dedicado exclusivamente à problemática da mulher.[30] O livro *A mulher e*

---

lher na monogamia; e a primeira opressão de classes, com a do sexo feminino pelo sexo masculino". Engels, 1988.

30 Essa inquietação em relação à análise e estudo da condição da mulher não existia apenas na Alemanha. Na Inglaterra, Eleanor Marx, a filha mais jovem de Karl Marx e participante ativa no movimento sindical e socialista inglês, escreveu em 1886, junto com seu marido, Edward Aveling, um panfleto intitulado *A questão da mulher*. Nesse texto, além de seguir as teorias de Marx no que diz respeito à opressão das mulheres, acrescentam um novo aspecto sobre o problema, quando comparam a posição das mulheres em relação

o socialismo foi publicado pela primeira vez em 1879; em 1895 alcançou a 25ª edição, e chegou à 50ª edição em 1910, sem contar as traduções feitas para um grande número de línguas estrangeiras.[31] O aparecimento desta obra coincidiu com o momento de maior pujança do movimento de mulheres socialistas em toda a Europa e, mais concretamente, na Alemanha. De fato, a obra teve um forte impacto entre as mulheres da classe operária daquele país, como se pode ver no testemunho de Ottilie Baader, uma das integrantes mais destacadas do movimento de mulheres socialistas alemão:

> Eu vivia resignada e sem esperança. (...) Tive notícia de um livro magnífico (...) escrito por Bebel. Ainda que eu não fosse social-democrata, tinha amigos que pertenciam ao partido. Através deles consegui a cobiçada obra. Eu o lia noite após noite. Era meu próprio destino e o de muitas das minhas irmãs. Nem na família, nem no âmbito público eu tinha ouvido falar sobre toda a dor que a mulher deve suportar. Ignorávamos nossa própria vida. O livro de Bebel rompia de maneira corajosa com o velho código do silêncio. (...) Li o livro, não uma vez, mas dez vezes. Porque tudo era tão novo que me custou um esforço considerável assimilar as ideias de Bebel. Tive que romper com muitas coisas que antes considerava corretas (Ottilie Baader. Citado em Jean H. Quataert, 1978).

Outra chave do sucesso dessa obra está no fato de que seu autor, pela primeira vez, descreve de uma maneira precisa o que seria a futura sociedade socialista, descrita como um paraíso em comparação com as condições de vida que reinavam na sociedade capitalista. Até o triunfo da Revolução Russa de 1917, esta era a única imagem que o proletariado tinha do que seria, efetivamente, o paraíso que almejavam. Suprimida a propriedade privada dos

---

à dos homens e a deles frente aos capitalistas. Chegavam à conclusão de que a opressão que mulheres e proletárias sofriam se devia à sua falta de direitos políticos, razão pela qual deviam lutar juntos com o propósito de alcançar um objetivo comum.

31 Para entender melhor o alcance desse êxito, é preciso lembrar que entre 1878 e 1890 estava em vigor a Lei Antissocialista de Bismarck, que declarou ilegal o Partido Social-Democrata Alemão. Portanto, a distribuição, venda e leitura do livro era feita na clandestinidade. Na sua segunda edição, apareceu com o título *A mulher no passado, no presente e no futuro*, e o próprio título explica a razão de seu sucesso: não era um livro apenas sobre o socialismo, era também sobre as mulheres. A versão definitiva da obra, que Bebel ia revisando, corrigindo e ampliando a cada edição, foi a que veio à luz como nona edição, publicada em 1891 e rebatizada como *A mulher e o socialismo*.

meios de produção, todos seriam iguais, desfrutariam dos mesmos direitos e oportunidades de trabalho, educação e participação na vida pública. A saúde e a educação estavam garantidas, os casamentos seriam baseados na livre escolha dos pretendentes, o trabalho doméstico seria socializado e se criariam creches para ajudar as mães no cuidado com seus filhos:

> É necessário, portanto, fundar uma ordem social em que a totalidade dos instrumentos de trabalho seja propriedade da comunidade, que reconheça a igualdade de direitos para todos, sem distinção de sexos .(...) Apenas desse modo, a mulher se converterá, como o homem, em um membro da sociedade utilmente produtivo e com direitos iguais; unicamente desta maneira poderia dar pleno desenvolvimento a suas faculdades físicas e morais, cumprir com todos os deveres e gozar de todos os direitos sexuais (August Bebel, *A mulher e o socialismo*).

Considerando-se que tanto o proletariado como as mulheres aspiravam a alcançar a libertação da opressão que sofriam no sistema capitalista – e as mulheres a sofriam em dobro – deviam unir seus esforços para alcançar seu objetivo comum sob a bandeira do socialismo e do partido social-democrata, o único partido que incluía em seu programa a igualdade de direitos para a mulher.

Concluindo, Marx, Engels e Bebel uniam a causa das mulheres com a do proletariado. Uma vez que ambos eram oprimidos na sociedade capitalista, deviam unir seus esforços para conseguir o triunfo da revolução socialista, que traria consigo uma nova sociedade em que todos teriam seus direitos políticos e as possibilidades para desenvolver-se como ser humano em todas as dimensões. Não é de estranhar, pois, que as mulheres pusessem suas esperanças no movimento socialista para conseguir sua emancipação.

Clara Zetkin e o movimento alemão de mulheres socialistas

O movimento alemão de mulheres socialistas

Nos 25 anos que precederam a Primeira Guerra Mundial, desenvolveu-se em toda a Europa um poderoso movimento operário apoiado pelos sindicatos e pelos partidos socialistas. Esses partidos, representantes e defensores dos interesses da classe trabalhadora, compartilhavam alguns objetivos comuns, entre os quais se encontram a transformação da sociedade capitalista em uma sociedade comunista sem classes, a extensão do sufrágio aos trabalhadores e às mulheres e a implantação de uma legislação que melhorasse as condições de trabalho e protegesse os trabalhadores do desemprego. Para atingir todos esses objetivos, estimulavam os operários a se organizar em sindicatos e a participar das atividades políticas desenvolvidas por esses partidos.

Em 1889, foi fundada em Paris a Segunda Internacional (ou Internacional Socialista) com o objetivo de coordenar a discussão e a ação entre os diferentes partidos socialistas nacionais. O orgulho da Segunda Internacional era o Partido Social-Democrata Alemão (SPD). Fundado em 1869 por August Bebel e Wilhelm Liebknecht, contava com o maior número de filiados, com uma organização disciplinada e com maior consciência de classe nas suas fileiras. Era também o partido mais envolvido na luta pelos direitos das mulheres, adotando, desde o princípio, as posições mais avançadas sobre o sufrágio feminino sem nenhum tipo de discriminação – em seu primeiro programa, aprovado em 1891, já incluía o voto para todos os cidadãos adultos – e pela participação das mulheres na vida política do país. Baseavam-se no pressuposto de que as mulheres tinham o mesmo interesse que os homens em redigir as leis de seu país, já que eram igualmente afetadas por elas. Não é de estranhar que, em 1914, contasse com 175 mil mulheres em suas filas, cifra que representava 16,1% do total dos filiados.[32] Tampouco é de se estranhar que, desde a década de1890, fosse se desenvolvendo sob sua influência um movimento de mulheres social-democratas (*Frauenbewegung*), que se converteria no mais poderoso e influente de todos os que surgiram no continente.[33]

A que se deve tal êxito? Como explica Jean H. Quataert, as mulheres socialistas alemãs, diante da disjuntiva de escolher entre

---

32 Dados extraídos de Jean H. Quataert, 1979, p. 3.

33 Há que se lembrar que as mulheres alemãs não podiam se filiar oficialmente nem legalmente a nenhuma organização política até 1908; e em alguns Estados era proibido até mesmo que assistissem a suas reuniões.

unir-se aos movimentos feministas burgueses e serem leais ao seu sexo, ou unir-se ao movimento socialista e serem fiéis à sua classe, optaram por uma solução de compromisso, conseguindo aliar feminismo e socialismo. Como conclui a autora: "trabalham duplamente no movimento: com os homens pela causa geral e juntas pelos objetivos do feminismo".[34] Ao fim e ao cabo, o feminismo e o socialismo tinham a mesma aspiração: estabelecer um novo sistema de relações humanas em que homens e mulheres desfrutassem os mesmos direitos. É certo, por outro lado, que as feministas burguesas aspiravam a alcançar esse novo sistema de relações humanas introduzindo transformações apenas na ordem social vigente (acesso à educação, direito ao voto, igualdade perante a lei, direito de controlar suas propriedades e riquezas), e não realizando uma revolução, como propunham as socialistas. Esta diferença de posturas criaria um abismo entre elas e acabaria impedindo sua colaboração.

Que significava para estas mulheres a ideologia socialista e o que elas esperavam dela? Em uma época em que o desenvolvimento industrial impelia as mulheres para o trabalho nas fábricas, no serviço doméstico e nos escritórios[35], transformando radicalmente a posição que antes haviam ocupado na ordem social como guardiãs do lar e cuidadoras dos filhos, elas começaram a entender que o capitalismo era um sistema que as explorava e que, além disso, perpetuava a sua condição de ser humano de "segunda classe" dentro do sistema social. Portanto, o socialismo oferecia a elas uma possibilidade de satisfazer suas necessidades pessoais e integrar-se na ordem social. Assim, Karen Honeycutt chega à seguinte conclusão:

> A contradição nessa situação – entre a força da necessidade econômica que empurrava as mulheres para ganhar seu sustento fora de casa e as restrições sociais, políticas e legais que limitavam sua capacidade para fazê-lo – foi o que deu origem ao movimento de mulheres alemão (Honeycutt, 1976, p. 132).

---

[34] Quataert, 1978, p.114-115.

[35] Não se deve esquecer que o fato de deixarem o lar para se reunir com outras mulheres no local de trabalho facilitava a compreensão comum de seus problemas, ao mesmo tempo em que aumentava a solidariedade entre elas, facilitando sua organização para lutar juntas pelos objetivos que pretendiam alcançar.

Os retratos biográficos das principais líderes desse movimento de mulheres nos mostram sua consciência feminista. Além de confiar na ideologia socialista como o remédio para seus problemas, eram conscientes de serem mulheres e da opressão que sofriam pelo simples fato de serem mulheres.[36] Basta apontar, como exemplo, o caso de Lily Braun, de origem aristocrática, mas que se rebelou diante do futuro que sua família e a sociedade haviam traçado para ela, e que consistia em converter-se em uma dama e casar-se com um cavalheiro de sua mesma classe social. Ela desejava que as mulheres fossem livres para determinar o curso de sua própria vida. Outras personalidades destacadas desse movimento, Clara Zetkin ou Marie Juchacz, primeiramente foram atraídas pelas ideias do socialismo e, pouco a pouco, conforme aumentava sua consciência feminista, foram se interessando mais pelos temas das mulheres.

Eram várias as reformas que pretendiam alcançar através da sua militância no partido social-democrata. Entre elas estavam: o reconhecimento do direito de voto para todas as mulheres, necessário para que pudessem defender seus interesses; o acesso à educação, como mecanismo por meio do qual desenvolveriam suas habilidades e ampliariam suas oportunidades de trabalho; um sistema educativo baseado na coeducação, para eliminar os temores e as concepções erradas que cada sexo tem do outro; uma reforma legal que facilitasse a obtenção do divórcio; o reconhecimento do direito das mulheres a limitar o tamanho de sua família como seu direito pessoal mais inerente[37]; e, finalmente, a socialização

---

36 Temos que reconhecer, no entanto, que esta postura não era generalizada. Uma figura tão relevante como Rosa Luxemburgo manifestava pouco interesse nas questões relacionadas com os direitos da mulher ou o lugar que as mulheres deviam ocupar na sociedade. Na verdade, apenas mencionou o tema e sempre buscou não se envolver com as reivindicações do movimento de mulheres socialistas.

37 Neste ponto, entretanto, não havia consenso entre as próprias mulheres. Sua líder mais carismática, Clara Zetkin, estava contra esta postura. Acreditava que o controle da natalidade beneficiava a mulher como indivíduo, mas prejudicava o conjunto da classe, já que para chegar ao triunfo da revolução era necessário um proletariado numeroso e forte. De fato, o SPD nunca incluiu esta reivindicação em seu programa político.

das tarefas domésticas, por meio de serviços como lavanderias, restaurantes populares, creches etc.

Apesar do que já dissemos até aqui, não devemos pensar que todos os homens da social-democracia alemã viam com bons olhos o desejo de suas companheiras de alcançar sua emancipação. No fundo, muitos deles continuavam acreditando que a mulher continuava sendo intelectual e socialmente inferior e que seu lugar continuava sendo permanecer no lar cuidando da família. Não eram incomuns depoimentos como esse, apresentado abaixo, expressando as queixas de uma socialista diante do desprezo com que certos homens tratavam suas companheiras:

> Muitos de nossos camaradas consideram as interrogações das mulheres como brincadeira, o que nos leva a perguntar: "São esses camaradas do partido que apoiam a igualdade de direitos?". Em muitos lugares os homens não permitem, de jeito nenhum, nem que as mulheres desempenhem qualquer papel no movimento, nem as educam. Limitam-se a dizer: "Isto não te interessa, você não entende nada disso". E aí está o máximo de preocupação que mostram nossos camaradas (Declaração encontrada em Richard J. Evans, 1987).

Clara Zetkin: a mulher que tornou possível a celebração do Dia Internacional da Mulher

À frente deste movimento de mulheres alemãs estava Clara Eissner Zetkin (1857-1933). Graças à influência de sua mãe, que havia recebido uma excelente educação e que era uma firme defensora do direito das mulheres à completa igualdade educacional e econômica com os homens, despertou-se nela um interesse pelas causas e direitos das mulheres que a acompanharia desde o berço até o final de seus dias.

Em 1872, para que os filhos continuassem sua educação, a família se mudou para Leipzig, vindo de Widerau – uma pequena aldeia da Saxônia onde havia nascido Clara. Clara ingressou no Instituto Van Steyber, dirigido por Auguste Schmidt, primeira presidenta da Federação Alemã de Associações de Mulheres (*Bund Deutscher Frauenvereine* – BDF), e responsável pelo fortalecimento das convicções feministas de Clara. Nessa instituição, ela recebeu durante quatro anos a mais completa educação que uma menina poderia receber naquela época.[38] Cursou estudos de história, literatura, inglês, francês e italiano, conhecimentos que seriam de grande utilidade posteriormente em sua atividade política.

Terminados os estudos que a qualificavam para trabalhar como professora, em 1878, conheceu um grupo de imigrantes e estudantes russos que vivia em Leipzig e foi por meio deles que ela entrou em contato com os Social-Democratas, frequentando reuniões e as conferências de seus principais líderes. Entre seus novos amigos se encontrava Ossip Zetkin, marxista convicto, a quem acompanhou no exílio em Paris, por causa da Lei Antissocialista promulgada por Bismarck naquele mesmo ano. Ossip Zetkin se tornou seu companheiro – e Clara chegou a adotar seu sobrenome, ainda que nunca tenham se casado – até que, em 1889, a tuberculose pôs fim à sua vida.

Esses anos de exílio em Paris não foram fáceis. Além de cuidar de seu companheiro doente e de criar seus dois filhos, tinha que trabalhar como professora e tradutora, além de continuar com sua atividade política. Chegaram a viver no limite da pobreza, Tudo isso, no entanto, serviu para Clara Zetkin se identificar de forma ainda mais definitiva com as mulheres da classe trabalhadora e para se convencer da importância de sua participação na luta operária.

De volta à Alemanha, desenvolveu um importante trabalho à frente do movimento de mulheres, que até 1906 era ainda muito pequeno e, além disso, era visto com desconfiança pelos homens do SPD. Os êxitos de Zetkin consistiram em evitar que o movimento alemão de mulheres socialistas fosse absorvido pela poderosa associação feminista Federação Alemã de Associações de Mulheres e em eliminar os medos dos militantes social-democratas, convencendo-os do total compromisso que a organização de mulheres tinha com a causa da social-democracia.

---

[38] Só após 1892 as mulheres alemãs tiveram permissão de se preparar para o "*Abitur*", exame de acesso à universidade alemã.

Além de sua sólida formação política, consolidada graças à leitura dos principais teóricos do socialismo, e de sua identificação com a classe trabalhadora, Clara Zetkin contava com outra qualidade que a levaria a tornar-se a principal oradora de sua época. Era uma propagandista excepcional e possuía um domínio impressionante da palavra escrita e falada. Começou a desenvolver essas aptidões primeiramente em seu lar e, depois, no Instituto Van Steyber, e continuou se aperfeiçoando por meio da observação de mestres nessa arte, como August Bebel, Wilhelm Liebknecht e V. I. Lenin. É preciso parar para pensar o que significava, então, uma excelente oradora subir a uma tribuna para falar a uma plateia composta por centenas de homens. Só isso já era, em si mesmo, um fato inovador. Mas além disso, pressupunha confrontar a noção tradicional da mulher como dona de casa, calada e submissa, que ainda dominava a mente de muitos homens e de algumas mulheres. Sem contar o risco pessoal que isso significava, já que as leis vigentes em muitos Estados alemães permitiam dissolver os encontros em que houvesse a participação de mulheres.

Dorothea Reetz que estudou com atenção os discursos da Zetkin, chega a defini-los nos seguintes termos:

> Seus discursos são informativos, instrutivos, convincentes e comoventes, e têm como propósito educar a audiência. *Verdade e consistência* são as características básicas de sua argumentação, que era particularmente efetiva devido à combinação de um conteúdo convincente com a autoridade e o exemplo da própria Clara Zetkin (Reetz, 1987, p. 49. Grifo no original).

Em um ano, podia chegar a dar mais de 300 conferências. O primeiro discurso com alcance internacional que pronunciou ao longo de sua vida foi em Paris, por ocasião do congresso de fundação da Segunda Internacional, em julho de 1889, data que coincidiu com o centenário da tomada da Bastilha. Era uma das oito mulheres entre os 400 delegados dos 19 países que estiveram no congresso. Sua conferência era intitulada "Pela libertação das mulheres" e se converteu na primeira declaração política da classe trabalhadora europeia sobre a questão das mulheres. Começava fazendo um chamado àqueles setores socialistas que acreditavam que o trabalho feminino fora de casa devia ser proibido, pois concorria com o trabalho dos homens e provocava uma redução nos salários dos mesmos. Os socialistas, que aspiravam à libertação de toda humanidade, não podiam condenar a metade dela à escravidão política e social, derivada da dependência econômica. Portanto, as mulheres não seriam capazes de alcançar sua libertação até que fossem economicamente independentes e para isso, deviam ter direito ao trabalho, que só deveria ser limitado em casos especiais.

Outro assunto diferente eram as condições nas quais as mulheres desenvolviam sua atividade profissional. Ao se converterem em assalariadas dentro do sistema capitalista, conseguiram efetivamente independência econômica, mas não haviam alcançado sua emancipação, em absoluto. De fato, só tinham trocado de opressores. Não estavam submetidas aos homens, e sim, como o restante dos trabalhadores, aos empresários capitalistas. Portanto, uma vez que não havia oposição de interesses entre a classe operária e as mulheres, já que ambos almejavam alcançar sua libertação através da revolução socialista, os dois grupos deveriam unir suas forças filiando-se aos partidos social-democratas para conseguir que a revolução socialista se realizasse com êxito. Como demonstram suas próprias palavras, Clara era uma grande conhecedora e seguidora das teorias desenvolvidas por Engels e Bebel:

> As mulheres operárias estão totalmente convencidas de que a questão da emancipação das mulheres não é uma questão isolada. Sabem claramente que esta questão na sociedade atual não pode ser resolvida sem uma transformação básica da sociedade. (...) A emancipação das mulheres, assim como de toda a humanidade, só ocorrerá no marco da emancipação do trabalho do capital. Só em uma sociedade socialista as mulheres, assim como os trabalhadores, alcançarão seus plenos direitos (Clara Zetkin, *in*: Philip S. Foner (ed.), 1984, p. 46-50).

Poderíamos pensar, a partir dessas declarações, que Clara Zetkin atuava e reivindicava esses direitos mais como socialista do que como feminista, isto é, que antepunha o bem da totalidade, a classe operária, ao bem do particular, as mulheres. Ela mesma chegaria a declarar que o bem-estar da humanidade estava acima dos direitos do sexo feminino. Entretanto, além de socialista, era também feminista, pois tinha plena consciência de que a mulher não seria um ser humano completo se não conseguisse se desenvolver plenamente através da maternidade e do exercício de uma atividade remunerada fora do lar, que ampliaria seus horizontes e que a faria crescer em conhecimentos e experiências. Por isso dedicou sua vida à causa da igualdade e da emancipação feminina.

A intervenção de Zetkin teve tal êxito que o congresso resolveu aprovar uma resolução que garantia às mulheres o direito de exigir salário igual por trabalho igual, sem a existência de qualquer tipo de discriminação entre os trabalhadores.

Se nos discursos mostrava seu domínio da palavra falada, demonstraria seu conhecimento da palavra escrita nos artigos que publicava no periódico *Die Gleichheit* (*A Igualdade*), do qual foi editora desde 1892, cargo que manteria durante quase 25 anos. A partir dele, se propôs a instruir as camaradas nos postulados do marxismo e preveni-las contra os princípios do feminismo burguês, por ser este um movimento de reforma, considerando-se que a necessidade das operárias era uma revolução. Além de utilizar o periódico para publicar seus artigos, fez dele um meio de comunicação, educação e troca de ideias entre as trabalhadoras. Ao mesmo tempo, era uma plataforma para denunciar as condições em que trabalhavam as mulheres, e não só as operárias das fábricas, mas também nos escritórios, assim como, as trabalhadoras do serviço doméstico.

Desde 1905, para atender às demandas dos que pediam que a publicação fosse mais "popular" e chegasse a todas as trabalhadoras – e não só às mais eruditas – dois suplementos passaram a ser editados, "Para nossas mães" e "Para nossos filhos". No primeiro eram abordados problemas relacionados à criação dos filhos e questões sobre saúde, cozinha e costura. O segundo, divulgava artigos de ciência e tecnologia, vida selvagem e instruía as crianças sobre conceitos como a dignidade do trabalho, a solidariedade de classe etc.[39] A tiragem de *A Igualdade* chegou a alcançar 125 mil exemplares às vésperas da Primeira Guerra Mundial.

A figura de Zetkin, já destacada internacionalmente, ficaria ainda mais fortalecida. Coincidindo com o congresso da Segunda Internacional, celebrado em Stuttgart em 1907, foi organizada a 1ª Conferência Internacional de Mulheres Socialistas. Nela se pretendia alcançar dois objetivos: uma atuação mais ampla e uniforme por parte do movimento socialista na luta pelo direito ao voto para as mulheres e o desenvolvimento de relações mais permanentes entre as organizações de mulheres da classe operária de todo o mundo. Com relação ao primeiro objetivo, Clara Zetkin conseguiu que o congresso da Segunda Internacional aprovasse a seguinte resolução:

> Os partidos socialistas de todos os países têm o dever de lutar energicamente pela implantação do sufrágio universal das mulheres (...) o qual (...) deve ser vigorosamente reivindicado, tanto por meio da agitação social, como por meio dos mecanismos parlamentares. A batalha a ser feita pelo sufrágio deve ser regida pelos princípios socialistas e, portanto, deve reivindicar o sufrágio universal para homens e mulheres (Moção votada no 7º Congresso da Internacional Socialista celebrado em Stuttgart de 16 a 24 de agosto de 1907. Citado em Côté, 1984, p. 62, e em Foner,1984, p. 31).

Com a resolução, Zetkin atingia ao mesmo tempo dois objetivos: comprometer os partidos socialistas na luta pelo sufrágio feminino, fazendo com que, a partir daí, todos incorporassem em seus programas essa reivindicação; e traçar uma clara linha divisória entre o feminismo burguês e o movimento de mulheres socialistas. O movimento feminista burguês e o movimento de mulheres socialistas coincidiam na reivindicação concreta do direito de voto, no entanto, diferiam na maneira de valorizar e

---

39 Gilbert Badia faz uma análise das razões que levaram o *A Igualdade* ampliar o leque dos temas tratados. Havia uma pressão permanente do partido, e também do movimento sindical, para que o jornal deixasse de ser tão "político" em relação às discussões sobre a situação das mulheres e tratasse do cotidiano tradicional. Por outro lado, a base social de mulheres vinculadas ao SPD incluía, principalmente, mulheres que eram membros das famílias dos trabalhadores. Ver Gilbert Badia. *Clara Zetkin, vida e obra*. São Paulo: Expressão Popular, 2003.(N.T.).

interpretar esse direito. Para as burguesas, tratava-se de um direito inalienável do indivíduo, através do qual poderiam impulsionar as reformas necessárias para alcançar a igualdade jurídica com os homens, dentro da ordem social vigente. Para as socialistas, o voto não era a meta final a ser alcançada, pois sua conquista não eliminaria a causa de sua opressão, que estava radicada na propriedade privada dos meios de produção. Ainda que as mulheres tivessem direito ao voto, eles seguiriam nas mãos dos capitalistas burgueses (anexo-documento n. 1). Portanto, para elas, o voto representava uma conquista que lhes permitiria participar mais ativamente da vida política, facilitando-lhes o trabalho para alcançar uma sociedade sem classes. Alexandra Kollontai, a única delegada russa nessa conferência, compartilhava da mesma opinião de Zetkin em relação à colaboração com as burguesas:

> No momento em que se situa a causa das mulheres acima da causa proletária, no momento em que as operárias se deixam ser seduzidas pelas palavras atraentes a respeito da comunidade de interesses da mulher, sem atentar para as distinções de classes, perdem seu vínculo de união com a causa de sua própria classe e traem seus próprios interesses. As mulheres burguesas, de acordo com seu próprio discurso, demandam generosamente direitos para "todas as mulheres", enquanto que as operárias só lutam pelos interesses de sua classe. Entretanto, na prática, a situação é precisamente inversa: alcançando os direitos políticos para elas, as operárias estão também abrindo caminho do voto para as mulheres de outras classes. Defendendo interesses das mulheres de sua classe, a social-democracia está colocando em prática os princípios da mais completa forma de democracia e buscando o êxito da causa das mulheres em seu conjunto (Kollontai, *in*: Dazhina, 1984, p. 41).

Apesar de tudo, Zetkin e suas companheiras tinham consciência de que os direitos reivindicados pelas burguesas também eram úteis às operárias, em especial na luta pelo direito ao voto. Por essa razão, as mulheres proletárias, nessa demanda concreta, podiam marchar ao lado das burguesas, ainda que não lutassem juntas. Não se podia esquecer o fato de que as burguesas estavam lutando contra os homens de sua classe, ao passo que as socialistas estavam lutando junto aos homens de sua classe contra a burguesia em seu conjunto. O que lhes proporcionaria êxito na sua empreitada não era uma luta de sexos e sim uma luta de classes.[40]

O segundo objetivo perseguido na 1ª Conferência Internacional de Mulheres Socialistas era o estreitamento das relações entre as organizações de mulheres da classe operária internacional. Com relação a isso foi aprovada, por iniciativa das delegadas alemãs e apesar da oposição das austríacas, a criação do *Secretariado Internacional de Mulheres*.[41] Clara Zetkin foi eleita sua presidente e o periódico *A Igualdade* converteu-se na publicação oficial das mulheres filiadas à Segunda Internacional.

Apesar da importância que a figura de Clara Zetkin tinha alcançado em toda Europa, suas relações com a cúpula do Partido Social-Democrata Alemão (SPD) foram ficando cada vez mais tensas e difíceis a partir de 1908. Várias foram as causas que conduziram a essa situação. Em primeiro lugar, naquele ano, o direito à livre reunião e associação foi concedido às mulheres, o que significava que já podiam se filiar aos partidos políticos. Até esse momento, o movimento das mulheres socialistas, ainda que influenciado pelo SPD, se mantinha independente dele. Contava com sua própria estrutura organizativa, que se revelava muito valiosa por diferentes motivos. Lutando juntas, as mulheres tinham mais possibilidades de êxito na hora de defender seus interesses do que se lutassem separadas. Além disso, as mulheres entendiam melhor os problemas e as demandas das outras companheiras e, por essa razão, essas organizações atuavam como células de re-

---

40 Apesar do êxito final, para conseguir aprovar a resolução apresentada pela delegação alemã, Clara Zetkin teve que enfrentar as delegadas inglesas que, em seu país, costumavam colaborar com as feministas burguesas. E também das austríacas que, embora se opusessem às feministas burguesas, consideravam que, sob certas circunstâncias políticas, era preferível pôr de lado os interesses de uma parcela do proletariado – as mulheres – para conquistar primeiro os direitos da outra porção – os homens. Por isso [as austríacas] introduziram a proposta, que não prosperou, de que o momento e os métodos de luta pelo sufrágio feminino fossem decididos por cada partido socialista em função das circunstâncias políticas de seu país.

41 Em inglês, aparece alternativamente como *International Women's Bureau* ou *International Women's Secretariat*. (N.T.)

crutamento para a causa socialista. Por último, sentiam-se mais livres para se expressarem e darem suas opiniões no meio de outras mulheres, livres dos preconceitos e receios que a presença masculina despertava. Poderíamos dizer que, tendo em vista as funções que desempenhavam, adiantaram-se uns 70 anos às organizações de mulheres da segunda onda feminista.[42] Zetkin tinha consciência da importância do fato de que as mulheres pudessem se reunir e discutir seus problemas separadamente; prova disso são os congressos das mulheres do partido celebrados a cada dois anos ou as conferências internacionais de mulheres socialistas, cuja organização foi impulsionada por ela. No entanto, a executiva do SPD tomou a decisão de dissolver, dentro de suas fileiras, as organizações de mulheres que haviam crescido sob sua influência. E para demonstrar que seus interesses continuariam garantidos dentro do partido, ficou estipulado que, a partir desse momento, seria reservada uma cadeira do comitê executivo para uma mulher. Ainda assim, até 1912 essa representante não tinha direito a voto.

Em segundo lugar, a posição política de Clara Zetkin foi paulatinamente se identificando com a ala esquerda do partido, mais radical e oposta às teorias revisionistas que cada vez ganhavam mais peso dentro da organização.[43] Os burocratas do SPD, todos homens, não viam com bons olhos a manutenção desse enclave de radicalismo e independência, no qual se convertera o movimento de mulheres sob a liderança de Zetkin. Por isso, não é de estranhar que não fosse ela a eleita para esse posto na executiva;

---

42 A importância dessas organizações independentes de mulheres não é uma questão trivial ou local. Vários são os autores, entre eles Charles Sowerwine, que sustentam que o socialismo só teve sucesso entre a população feminina quando os movimentos de mulheres possibilitaram a elas um lugar para denunciar suas queixas e defender seus direitos.

43 As teorias revisionistas tinham como representante máximo Edward Bernstein, que sustentava que as teses de Marx deviam ser revisadas, já que o sistema capitalista evoluía de maneira diferente da prevista por ele. Argumentava que o sistema capitalista havia desenvolvido uma enorme capacidade de produzir ajustes que evitavam crises econômicas sérias e que asseguravam sua infinita expansão, acompanhada de uma redistribuição mais equitativa da riqueza.

ela que durante tanto tempo havia sido a defensora dos direitos das mulheres dentro do Partido Social-Democrata Alemão e líder das socialistas de toda Europa. Foi, sim, outra militante menos conhecida e mais moderada, Luise Zietz (1865-1922), com uma personalidade mais frágil, e de quem, devido à sua atuação, a própria Clara chegaria a dizer: "pode-se ver quem manipula os fios desta marionete".[44]

A ruptura definitiva aconteceu por causa do voto favorável à participação alemã na Primeira Guerra Mundial, dado pelos deputados do SPD no parlamento (*Reichstag*). Junto com sua amiga Rosa Luxemburgo, Zetkin desenvolveu uma vigorosa campanha contra esta guerra, que caracterizava como imperialista e favorável apenas aos burgueses, que eram fabricantes de armas, e utilizou o *A Igualdade* para denunciar a postura de seu partido a esse respeito. Foi ainda mais longe ao organizar uma conferência da Internacional de Mulheres Socialistas em Berna (Suíça), no dia 15 de março de 1915. Assistiram a essa conferência 28 delegadas da Grã-Bretanha, França, Alemanha, Itália, Polônia, Rússia, Holanda e Suíça. A conferência adotou uma resolução condenando a guerra, redigida por Zetkin, e divulgou um manifesto, também escrito por ela, dirigido "Às mulheres da classe trabalhadora", e que começava com as seguintes palavras:

> Onde estão vossos esposos? Onde estão vossos filhos? Há oito meses, estão na frente de batalha. Foram arrancados de seus trabalhos e de seus lares. Adolescentes, o apoio e a esperança de seus pais, homens na flor da vida, homens de cabelos grisalhos, os provedores de suas famílias: todos eles estão usando uniformes militares, estão vegetando nas trincheiras ou recebem ordens para destruir o que o trabalho diligente construiu. Milhões já descansam em valas comuns, centenas e centenas de milhares repousam em hospitais militares com seus corpos feridos, seus membros em pedaços, seus olhos cegos, seus cérebros destroçados, delirantes devido a epidemias ou derrotados pelo cansaço (Clara Zetkin. Citado em Foner, 1984, p. 130).

---

44 Carta de Clara Zetkin a Karl Kautsky, 14 de março de 1909. Citado em Honeycutt, 1976.

Desde esse momento ela caiu em desgraça dentro do partido. Foi presa e detida em custódia preventiva por quatro dias por distribuir este manifesto. Em 1917, foi destituída de seu cargo de editora do *A Igualdade*. A explicação oficial foi que seus artigos eram inaceitáveis para a maioria das operárias. Mas a verdadeira razão era a inquebrantável crítica, feita a partir de seus artigos, ao partido social-democrata pelo apoio à guerra, comportamento que qualificava como traição aos princípios do socialismo internacional. Pouco tempo depois, a publicação foi fechada e substituída por outra dedicada a temas de moda e família, à frente da qual se encontrava um homem.

Terminada a guerra, Zetkin abandonou o SPD para filiar-se, junto com Rosa Luxemburgo e Karl Liebkenecht, ao Partido Social-Democrata Independente (USPD), criado em janeiro de 1917 por antigos militantes da social-democracia contrários à guerra, alguns dos quais logo regressariam às fileiras de seu partido anterior. Mas Zetkin, que havia abraçado com entusiasmo a Revolução Russa de outubro, filiou-se ao Partido Comunista Alemão (Kommunistiche Partei Deutschlands – KPD), no qual, depois dos assassinatos de Rosa Luxemburgo e Karl Liebknecht, foi-lhe concedido um lugar de honra, por ser a líder socialista mais importante do período anterior à guerra. Foi membro do Comitê Central, de 1919 a 1923 e, novamente, em 1927. E ocupou uma cadeira no parlamento (*Reichstag*) como deputada do Partido Comunista Alemão, ininterruptamente, desde a primeira até a última sessão da República de Weimar.

Em 1920, já então com 62 anos de idade, com a saúde já muito debilitada, foi nomeada secretária internacional das Mulheres Comunistas pelo Comitê Executivo da Terceira Internacional, ou Internacional Comunista. Completavam-se 13 anos desde que havia sido eleita secretária internacional do movimento de mulheres socialistas.

Devido a seu cargo e aos cuidados médicos de que necessitava, passou os últimos anos de sua vida na União Soviética, onde conheceu de perto as ideias de Lenin sobre a questão da mulher, graças às reuniões que teve com ele em várias ocasiões. Sua última aparição pública na Alemanha foi em 1932, por ocasião da abertura do *Reichstag*, cumprindo a tradição que ditava que o membro mais antigo do parlamento alemão deveria ser o responsável por convocá-lo. Mesmo com o terror nazista já se anunciando, a despeito das ameaças que sofrera durante sua vida e de seu delicado estado de saúde, em discurso que durou mais de uma hora, Zetkin teve o valor de denunciar a ameaça nazista e apelar para a formação de uma frente popular de trabalhadores, na qual as mulheres não poderiam deixar de estar presentes, para deter o fascismo.

Em janeiro de 1933 Hitler tomou o poder. Clara Zetkin, que havia regressado à União Soviética, ali morreria em 22 de junho do mesmo ano.

Tendo em vista a trajetória política e de vida de Clara Zetkin, podemos nos perguntar em que falhou o movimento de mulheres socialistas, que, mesmo tendo sido reconstruído depois dos acontecimentos narrados, converteu-se apenas em uma sombra do que havia sido anos antes. Dois motivos parecem ser a causa desse fato. Primeiro, o movimento internacional de mulheres socialistas se adiantou ao seu tempo, demandando igualdade econômica e igualdade política, reivindicações feitas ainda hoje pelo movimento feminista atual. O segundo motivo de seu fracasso já foi apontado por Karen Honeycutt, citada anteriormente. Ela localiza o motivo do fracasso na dominação masculina vivida dentro do Partido Social-Democrata Alemão:

> Nenhum movimento de mulheres, como o liderado por Zetkin, podia manter com êxito sua orientação radical feminista uma vez que fora integrado dentro da estrutura de organização do SPD, [uma estrutura] maior, reformista e dominada pelos homens (Honeycutt, 1976, p. 141).

Ou seja, o Partido Social-Democrata Alemão, como os demais partidos socialistas, apresentava-se apenas como um marco a partir do qual as mulheres pudessem lutar por sua emancipação, mas sem ir mais além em seu compromisso. As mulheres eram necessárias para apoiar a causa socialista, mas se almejava sempre que as atividades desenvolvidas por elas não fossem demasiado longe e permanecessem em todo momento sob supervisão masculina. Veremos a mesma história se repetir nos partidos socialistas de outros países implicados no nascimento do Dia Internacional da Mulher.

As origens do Dia Internacional das Mulheres: a comemoração do *Woman's Day* americano

The socialist and the suffragist

Said the Socialist to the Suffragist:
"My cause is grater than yours!
You only work for Special Class,
We for the gain of the General Mass,
Which every good ensures!"

Said the Suffragist to the Socialist:
"You underrate my Cause!
While women remain a Subject Class,
You never can move the General Mass,
With your Economic Laws!"

Said the Socialist to the Suffragist:
"You misinterpret facts!
There is no room for doubt or schism
In Economic Determinism –
It governs all our acts!"

Said the Suffragist to the Socialist:
"You men will always find
That this old world will never move
More swiftly in its ancient groove
While women stay behind!"

"A lifted world lifts women up,"
The Socialist explained.
"You cannot lift the world at all
While half of it is kept so small",
The Suffragist maintained.

The world awoke, and tartly spoke:
"Your work is all the same:
Work together or work apart,
Work, each of you, with your heart –
Just get into the game!"

Charlotte Perkins Gilman,
Suffrage Songs and Verses (1911)

O Socialista e a Sufragista

Disse o Socialista para a Sufragista
"Minha causa é maior que a sua!
Você trabalha somente por uma Classe Especial,
Nós, pelo ganho das Massas em Geral,
Que todo bem assegura!"

Disse a Sufragista ao Socialista:
"Você subestima minha Causa!
Enquanto as mulheres continuarem uma Classe Subjugada,
Você nunca poderá mover as Massas em Geral,
Com suas Leis Econômicas!"

Disse o Socialista para a Sufragista:
"Você interpreta mal os fatos!
Não há espaço para dúvida ou dissidência
No Determinismo Econômico –
Ele governa todos nossos atos!"

A Sufragista disse ao Socialista
"Vocês homens sempre verão
Que este velho mundo nunca se moverá
Mais rapidamente em sua antiga rotina
Enquanto as mulheres estiverem um passo atrás!"

"Um mundo elevado eleva as mulheres",
Explicou o Socialista.
"Você não pode levantar o mundo
Enquanto metade dele permanece tão pequena",
Insistiu a Sufragista.

O mundo acordou, e resmungou:
"O trabalho de vocês é o mesmo:
Trabalhar juntos ou trabalhar separados,
Trabalhar, cada um de vocês, com seu coração –
Simplesmente façam seu trabalho!"

Charlotte Perkins Gilman
Versos e canções do sufrágio (1911)

A proposta apresentada por Clara Zetkin na 2ª Conferência Internacional de Mulheres Socialistas, realizada em Copenhague em 1910, de organizar a celebração de um Dia Internacional da Mulher, não era de todo original. Tinha um antecedente no qual inspirar-se, o *Woman's Day* (Dia da Mulher[45]), que as socialistas americanas comemoravam desde 1908, cuja finalidade era a reivindicação do direito de voto para as mulheres. Para compreender o contexto em que foi gestada tal proposta, e para entender o significado que a celebração do *Woman's Day* chegou a alcançar entre as socialistas americanas, é necessário voltar ao movimento sufragista estadunidense desde suas origens, em meados do século 19, até a aprovação da Décima Nona Emenda à Constituição em 1920, que outorgava às mulheres dos Estados Unidos o direito ao sufrágio.

O MOVIMENTO SUFRAGISTA DOS ESTADOS UNIDOS, 1848-1920

DE 1848 A 1900

O ano de 1848 é considerado o ponto de partida do movimento sufragista nos Estados Unidos, por ser a data de realização da Convenção de Seneca Falls, evento no qual se reivindicou pela primeira vez o direito da mulher estadunidense ao voto.[46]

---

45 Manteremos a expressão no original em inglês sempre que, ao longo do texto, a referência for à comemoração do Dia da Mulher (*Woman's Day*) dos Estados Unidos, que antecede à definição do Dia Internacional da Mulher. (N.T.)

46 Para que um acontecimento com essas características e repercussões pudesse ocorrer, foi necessário que as mulheres americanas tivessem conquistado, nos 30 anos anteriores, o direito de defender seus próprios interesses, ultrapassando os limites da esfera privada, onde tradicionalmente se encontravam confinadas. O movimento que lhes serviu de marco para desenvolverem uma teoria sobre sua posição na sociedade e seus direitos básicos foi o movimento abolicionista, tornando possível, assim, que as causas da libertação dos escravos e da libertação das mulheres corressem paralelamente durante a primeira metade do século 19. Frente à negativa dos membros da *Sociedade abolicionista americana* a que as mulheres participassem de suas discussões e assinassem suas resoluções e diante da proliferação das sociedades abolicionistas compostas exclusivamente por mulheres em um grande número de cidades, em 1837, foi fundada a *Sociedade nacional feminina antiescravista* (*National female anti-slavery society*). Tomar parte nas atividades da *Ferrovia clandestina* (Underground railroad) – como era conhecida a rede de agentes que ajudavam os escravos fugitivos a chegar em territórios livres – não era fácil para uma mulher de classe média ou alta. Precisava estar disposta a receber fugitivos em casa a qualquer hora do dia ou da noite, alimentá-los, cuidá-los, se estivessem feridos, e escondê-los, se autoridades locais apareciam para revistar a casa. As primeiras mulheres que uniram as duas causas e abriram o caminho para as demais figuras que, com o tempo, se tornaram as líderes do movimento sufragista, foram as irmãs Sarah e Angelina Grimké.

As organizadoras da convenção foram duas líderes do movimento abolicionista, Lucretia Mott (1793-1880) e Elizabeth Cady Stanton (1817-1902), que haviam se conhecido em Londres oito anos antes, quando foi realizada a *Convenção Mundial Antiescravista*, na capital inglesa. Diante da determinação da convenção de não permitir às mulheres tomar parte ativa nos debates, as duas decidiram lutar contra decisões como esta, em que o uso da palavra lhes era negado só pelo fato de serem mulheres.[47] Começava assim um relacionamento de amizade e cooperação que só se romperia com o falecimento da primeira em 1880.

Lucretia Mott era original da ilha de Nantucket, Cape Cod, centro da indústria baleeira da Nova Inglaterra. Em cidades como esta era fácil desenvolver uma forte consciência a favor da igualdade feminina, já que as mulheres tinham que se encarregar de todos os assuntos durante as longas temporadas que os homens passavam no mar. Lucretia trabalhou como professora desde quase a adolescência. Esta experiência lhe permitiu perceber desde a mais tenra idade as desigualdades que as mulheres sofriam no trabalho, pois lhe bastava a comprovação de que recebia bem menos que seus companheiros homens. Quando ela se casou com James

---

Procedentes de uma família proprietária de escravos na Carolina do Sul, desde meados dos anos 1830, começaram a frequentar os círculos abolicionistas até que se somaram à concorrida audiência dos atos organizados pelas sociedades antiescravistas de cidades como Boston e Nova York. Elas foram as primeiras a conquistar o direito de falar em público, as primeiras a organizar abaixo-assinados e, consequentemente, a receber críticas por haverem ultrapassado os limites da atuação que era permitida às mulheres no começo do século 19. Não foi difícil para elas, portanto, dar-se conta de quão pouco podiam fazer as mulheres pelos escravos se, antes, elas mesmas não fossem capazes de se libertar do jugo a que estavam submetidas. Nas palavras da própria Angelina Grimké: "Que pode, então, fazer a mulher pelo escravo, quando ela mesma se encontra aos pés do homem e condenada ao silêncio?". Citado por Eleanor Flexner e Ellen Fitzpatrick, *Século de luta. O movimento pelos direitos das mulheres nos Estados Unidos*. Cambridge, Mass.& London: The Belknap Press of Harvard University Press, 1996, p. 45.

47 Evidentemente, antes dessa data houve figuras que contribuíram para o nascimento de uma consciência feminista entre as mulheres estadunidenses com seus escritos e ideias. A personalidade mais destacada nesse sentido, na década de 1820, foi Frances Wright, seguidora do socialista utópico Robert Owen e defensora, como Mary Wollstonecraft, da educação de meninos e meninas no mesmo sistema educativo e nas mesmas escolas.

Mott, fervoroso abolicionista, mudaram-se para a Filadélfia, onde fundou a primeira sociedade antiescravista da cidade. Quando ela chegou a Londres já era uma figura conhecida.

Elizabeth Cady Stanton estava destinada, tanto pelo ambiente em que se criou, como pelo rumo que tomaria sua vida, a converter-se na líder intelectual do movimento pela emancipação das mulheres. Nasceu no seio de uma conhecida família de Johnstown (Estado de Nova York) formada por um pai juiz e uma mãe aristocrata. Recebeu a melhor educação que poderia ter então uma jovem de sua classe, no Seminário Emma Willard em Troy. Após sua formatura, começou a estudar leis no escritório de seu pai, onde também teve a oportunidade de tomar contato com os problemas sofridos pelas mulheres que o procuravam para se aconselhar. Seu amplo conhecimento da lei e sua hostilidade aos preceitos religiosos no que se referem à posição social da mulher a distinguiam das outras mulheres de seu tempo, que estavam convencidas de que a religião pertencia à esfera das mulheres e o governo e a política à dos homens.

Em 1840 ela se casou com Henry B. Stanton, um conhecido líder abolicionista, com quem compartilhava a crença na necessidade de organização política para levar adiante um movimento de reforma. Viajou com ele para Londres para assistir a Convenção Mundial Antiescravista. Lá ela conheceu Lucretia Mott, que aprofundou sua formação feminista ao iniciá-la na leitura de Mary Wollstonecraft, Robert Owen e Frances Wright, entre outros.

As mudanças ocorridas na vida privada de Cady Stanton também desempenharam um papel importante na hora de organizar a Convenção de Seneca Falls em julho de 1848. Anos antes, havia se transferido, junto com seu marido, a esta pequena cidade na região dos Finger Lakes, no Estado de Nova York. Ali, logo se confrontou com a realidade cotidiana vivida por muitas mulheres, isolada numa cidade pequena, com o marido ausente durante longos períodos em função dos negócios e dedicada ao cuidado da casa e de seus sete filhos. Sua experiência pessoal a marcou tanto quanto suas leituras e sua atividade no movimento abolicionista:

> Minhas experiências na Convenção Mundial Antiescravista, tudo o que eu li sobre o estatuto legal das mulheres e a opressão que vi por todos os lados agitaram minha alma, [tudo isso] ficou intensificado agora por minhas experiências pessoais. Era como se todos os elementos tivessem conspirado para me empurrar a dar um passo à frente. Eu não sabia o que fazer ou por onde começar – o meu único pensamento era uma atividade pública para protestar e debater (Elizabeth Cady Stanton, *Eighty years and more*, publicado em1898. Citado em Flexner, 1996, p. 68).

Também ocorreram fatores políticos que influenciaram sua decisão. No plano nacional, o Estado de Nova York tinha aprovado uma lei que dava às mulheres casadas o controle sobre as propriedades que herdassem. E, no contexto internacional, as revoluções europeias de 1848 exigiam o fim do despotismo, a ampliação dos direitos democráticos e a conquista da total igualdade.

A figura central da Convenção de Seneca Falls foi Elizabeth Cady Stanton. Foi dela a ideia de realizá-la e também se encarregou de redigir a declaração de princípios e as resoluções que ali foram aprovadas. Em sua redação, adotou a forma e o tom da Declaração de Independência, de maneira que conseguiu imbuí-la de uma poderosa força de convicção e de significado histórico. A Declaração de Seneca Falls tornou-se o primeiro documento no qual as mulheres dos Estados Unidos repudiavam a falsa igualdade em que viviam e exigiam a igualdade plena e total liberdade (ver anexo documento n. 2).

A única resolução que não foi aprovada por unanimidade era justamente a que diferenciaria a Convenção de Seneca Falls de qualquer outra atividade que até então fora organizada pelos direitos da mulher. Era a nona resolução, também redigida por Stanton, em que se exigia o direito de voto para as mulheres. Seu texto era o seguinte: "Fica resolvido que é dever das mulheres deste país assegurar a si mesmas o sagrado direito do voto".[48] A base sobre a qual se atreveu a reivindicar o voto feminino era sua convicção de que a igualdade política proporcionaria a chave para

---

[48] Nem sequer Lucretia Mott estava convencida da adequação desta resolução e, na correspondência que mantinha com Elisabeth, a aconselhava a atuar com cautela pois, do contrário, se tornaria alvo de zombaria.

as mulheres derrubarem o "despotismo" masculino e conseguirem um estatuto igual ao dos homens em todos os níveis. Não por acaso, o primeiro lugar na lista das injustiças e usurpação que a declaração atribuía aos homens era ter negado às mulheres "o direito inalienável de votar". Daí se originava o restante das leis que os homens aprovaram para privar as mulheres de administrar suas propriedades e seus salários, subjugá-las à autoridade dos maridos e tirar-lhes os filhos em caso de divórcio. O discurso dirigido aos mais de 300 participantes na abertura da convenção é um nítido exemplo da clareza de seus propósitos:

> Estamos reunidas para protestar contra uma forma de governo, que existe sem o consentimento dos governados, para declarar o nosso direito de ser livres como o homem, de sermos representadas em um governo que sustentamos com os nossos impostos, para ter leis tão vergonhosas que dão ao homem o poder de castigar e encarcerar sua esposa, para se apossar do salário que ela recebe, das propriedades que herda e, em caso de separação, dos filhos que ama. (...) E, por estranho que pareça a muitos, exigimos agora o nosso direito de votar de acordo com a declaração do governo sob o qual vivemos (...) Todos os homens brancos neste país têm os mesmos direitos, independentemente das suas diferenças na mente, no corpo ou de estado. O direito é nosso. A questão agora é como tomaremos posse do que por direito nos pertence (Elizabeth Cady Stanton, *In:* DuBois, 1992, p. 31-32).

Assim, ao exigir a igualdade política para as mulheres, o movimento feminista se armava de uma estratégia e de algumas bases ideológicas que o convertiam em um movimento social forte e organizado. A resolução foi assinada por 68 mulheres, às quais se somaram a assinatura de 32 homens presentes à convenção.

A outra mulher que partilhou com Stanton a liderança do movimento pelos direitos das mulheres foi Susan B. Anthony (1820-1906). Nascida na cidade de Adams (Massachusetts), no seio de uma família quaker[49], antiescravista e liberal, devido à

---

[49] Os Quakers são uma comunidade religiosa com origem no século 17 (Sociedade dos Amigos). Muitos migraram para os Estados Unidos devido à perseguição sofrida na Inglaterra. Tradicionalmente são pacifistas e defensores da igualdade entre todos os seres humanos, independentemente de raça, sexo e classe social. Rejeitam qualquer organização clerical. (N.T.)

perda do negócio paterno ela se viu desde cedo obrigada, junto com suas irmãs, a dedicar-se ao ensino. Esta experiência ajudou-a a tornar-se uma ferrenha defensora da independência do sexo feminino (de fato, foi a única líder do movimento que permaneceu solteira por toda a vida). Sua entrada no movimento pelos direitos das mulheres deu-se através da Sociedade de Temperança das Mulheres do Estado de Nova York, que fundou juntamente com Stanton em 1852. O objetivo da sociedade era que as mulheres lutassem contra a chaga social que representava o álcool, e através dela buscava também impulsionar sua luta pelo voto feminino e pela mudança na lei do divórcio. Quando foram afastadas de seus cargos nessa sociedade pelos setores mais conservadores, ambas se centraram no movimento feminista, iniciando uma colaboração profissional e uma amizade pessoal como poucas conhecidas no curso da história. Não só se complementavam por suas situações pessoais – Stanton era casada e mãe de sete filhos, enquanto Anthony permaneceu solteira, por isso era mais livre para viajar ou ficar no lugar da amiga e cuidar de seus filhos quando ela tivesse que se ausentar ou preparar um discurso. Também se somavam em suas características. As estudiosas da vida e da carreira destas mulheres concordam em afirmar que Stanton era a filósofa, a pensadora e a oradora; enquanto Anthony era a organizadora que deu coesão ao movimento durante meio século, chegando a ser conhecida como a "mãe do movimento de mulheres estadunidense".[50]

Durante a década de 1850, a preocupação com o direito de voto não era tão forte no conjunto das mulheres como era em Stanton. Preocupavam-se mais com o estatuto legal da mulher casada e com o direito de controlar suas propriedades e salários, com a possibilidade de ter oportunidades iguais de educação e emprego e em aprovar um sistema de casamento que, como qualquer outro

[50] Foi ela que inaugurou a coleta de assinaturas como meio de pressão para conseguir o reconhecimento de um direito. Essa tarefa a obrigava a viajar e sofrer as críticas e brincadeiras que uma mulher daquela época recebia pela ousadia de desenvolver caracterísitcas que lhes eram vedadas.

contrato entre duas partes, pudesse ser desfeito por iniciativa de qualquer um dos lados.

O fim da Guerra de Secessão (1861-1865) trouxe uma nova esperança para as mulheres. Ao libertar os escravos negros dos Estados do Sul e dotá-los dos direitos dos cidadãos americanos, entre os quais o de votar, as mulheres acreditaram que havia chegado também para elas o momento de alcançar suas reivindicações. Desde 1848, foram muitas as convenções, reuniões e comícios organizados em favor dos direitos das mulheres. E, além disso, elas esperavam ser recompensadas com o voto pelo trabalho que tinham feito durante guerra. A questão do voto feminino tornou-se o tema central do movimento pelos direitos da mulher nesta fase, a tal ponto que a expressão "direitos da mulher" (*woman's rights*) foi substituída, de modo quase imperceptível, por "sufrágio feminino/ voto da mulher" (*woman's suffrage*). Do ponto de vista histórico, contudo, esse entusiasmo não se justifica. A escravidão e a libertação dos negros foram um tema candente por 35 anos e uma guerra foi travada por isso. Embora esperassem conquistar o apoio do Partido Republicano, fundado em 1855, logo se deram conta de que ele não estava disposto a arriscar os dois milhões de votos potenciais dos negros do Sul, caso defendesse o voto feminino, reivindicação esta que ainda contava com muita resistência.[51]

O ponto final para as esperanças das mulheres de obter o direito de voto veio com a aprovação, em junho de 1866, da Décima Quarta Emenda à Constituição. Redigida para garantir o voto aos cidadãos negros, excluía deliberadamente as mulheres, uma vez que concedia "o direito ao voto (...) a todo varão residente em qualquer Estado, que tenha 21 anos de idade e seja cidadão dos Estados Unidos"[52]. Pela primeira vez, as líderes do movimento sufragista perceberam o fato de que o direito de voto aparecia

---

[51] As principais críticas vinham dos conservadores, que previam "o colapso do lar, da família, da Igreja e do Estado, se as mulheres conseguissem o direito de votar". Esse é o mesmo argumento dos que atualmente continuam se opondo ao trabalho da mulher fora de casa.

[52] Citado em Flexner, 1996, p.137.

ligado ao sexo masculino de forma indissolúvel, situação esta que seria ratificada em 1868 com a aprovação da Décima Quinta Emenda. Esta emenda não condenava a discriminação sexual que sofriam as mulheres dos Estados Unidos por não terem o direito de voto: "O direito dos cidadãos dos Estados Unidos a votar não será negado ou limitado pelos Estados Unidos ou qualquer Estado, com base na raça, cor ou condição anterior de servidão".[53] E mais, se anteriormente as mulheres se haviam identificado com a população negra, por serem ambos privados do mesmo direito, agora seu comportamento se tornava racista, pois não podiam compreender que os negros gozassem de um estatuto superior a elas, senhoras brancas de classe média. Ellen Carol DuBois define nos seguintes termos sua reação à Décima Quinta Emenda:

> Suas objeções à Décima Quinta Emenda eram ao mesmo tempo feministas e racistas. (...) Ainda que conhecessem as semelhanças entre a posição inferior que as mulheres se encontravam em relação aos homens e o *status* de outros grupos oprimidos, acreditavam que as injustiças sofridas pelas mulheres eram parte de um sistema distinto de desigualdade sexual, que tinha suas próprias raízes e requeria suas próprias soluções. Isso as levava a repudiar a Décima Quinta Emenda, não apenas porque as mulheres estavam excluídas de suas disposições, mas porque acreditavam que sua ratificação intensificaria a desigualdade sexual. (...) Por outro lado, este feminismo era progressivamente racista e elitista. As mulheres entre as quais estava crescendo [o movimento sufragista] eram brancas e de classe média e se consideravam como seres superiores social e culturalmente entre os homens livres (DuBois, 1978, p. 17-18).

Neste mesmo ano, Lucretia Mott, Lucy Stone, Elizabeth Cady Stanton e Susan B. Anthony fundaram a Associação Americana pelos Direitos Iguais (*American Equal Rights Association* – AERA), com objetivo de lutar pelo voto negro e pelo voto feminino, juntando-os em uma única campanha pelo voto universal. Sua missão era convencer abolicionistas e republicanos que a teoria da igualdade de direitos, que utilizaram para conseguir o voto dos negros, também deveria levá-los a lutar pelo voto feminino. Rapidamente essa estratégia se demonstrou errônea. Um grupo,

---

[53] *Ibid*, p.141.

liderado por Lucy Stone, aceitava a prioridade de se conseguir o direito de voto para negros e acreditava nas promessas dos republicanos que iriam continuar a trabalhar pelo sufrágio feminino. Outra parte, liderada por Stanton e Anthony, decepcionadas com abolicionistas e republicanos, estava disposta a lutar sozinhas pelo voto feminino. Apesar da colaboração que tinham tido com o movimento abolicionista, quando os membros desse movimento alcançaram certo grau de influência política, já não estavam dispostos a se comprometer defendendo o voto feminino .

A ruptura definitiva ocorreu em 1869, quando Stanton e Anthony fundaram a Associação Nacional pelo Sufrágio para a Mulher (National Woman Suffrage Association – NWSA), impulsionadas por um desejo de criar uma organização com ideologia feminista radical. Ela contava com uma publicação periódica, *A Revolução*, por meio da qual Stanton, principalmente, deu asas a seu radicalismo em artigos dirigidos às mulheres trabalhadoras, exploradas e esquecidas pela sociedade. Seu lema era "Homens, os seus direitos e nada mais. Mulheres, seus direitos e nada menos".[54] E em suas páginas denunciava a discriminação no emprego e dos salários[55], as desigualdades nos processos de divórcio, a injustiça da Décima Quarta Emenda e as condições em que viviam as mulheres no século 19, condenadas a um casamento cujo único fim era a criação de filhos e o cuidado do marido. A única maneira de pôr fim a todos estes males era as mulheres terem o direito de votar, prerrogativa que lhes permitiria lutar dentro do sistema político em benefício de todo o sexo feminino.

---

[54] Citado em Flexner, 1996, p. 144 e em DuBois, 1992, p. 93.

[55] Durante a Guerra de Secessão o número de mulheres nas fábricas havia aumentado e o que reivindicavam para as operárias era o mesmo que os homens reivindicavam para eles desde que apareceram as primeiras fábricas: independência, um salário decente para que pudessem sustentar a família e o reconhecimento de seus direitos. O que ocorria era que reivindicar esses direitos para as mulheres era tão impactante quanto reclamar seu direito ao voto, e que, enquanto os operários reivindicavam alguns direitos que tinham desfrutado antes de ingressar no sistema industrial, as mulheres, ao contrário, nunca os tinham desfrutado antes, pois sempre haviam sido seres dependentes de seu pai ou de seu marido.

Outra organização que surgiu de uma cisão da AERA foi a Associação Americana pelo Sufrágio para a Mulher (*American Woman Suffrage Association* – AWSA). Também contava com sua própria publicação, *Revista da Mulher* (*Woman's Journal*), que era mais conservadora no seu conteúdo e dirigida a profissionais liberais, escritores etc. As duas associações trabalharam separadamente por mais de 20 anos. Suas divergências não estavam na questão se as mulheres deveriam votar ou não, mas sim sobre como deveriam obter esse direito, e nesse ponto era onde se via o caráter mais radical da NWSA e o mais conservador da AWSA. As líderes desta segunda organização acreditavam que era possível obter o direito sem a necessidade de mobilizar outros setores sociais ou tratar de outras questões. Anthony e Stanton, por outro lado, acreditavam que o direito ao voto era uma reivindicação importante dentro da causa dos direitos da mulher, mas não a única. As duas organizações mostraram diferenças tanto em seus princípios ideológicos como na sua metodologia de trabalho. A AWSA priorizava a ação estadual, ou seja, se empenhava em conseguir aprovar emendas favoráveis ao voto feminino na legislação dos Estados, Estado por Estado. A NWSA priorizava a ação nacional e centrava seus esforços em conseguir aprovar uma emenda favorável ao voto feminino na Constituição Federal. Seu primeiro sucesso a esse respeito foi alcançado em 1878, quando foi apresentada no Senado a emenda que passaria a ser conhecida como "Emenda Anthony", estabelecendo que "o direito dos cidadãos dos Estados Unidos a votar não deverá ser negado ou limitado pelos Estados Unidos nem por nenhum Estado em função de seu sexo".[56] Essa emenda desapareceu da agenda política até 1913.

As décadas de 1870 e 1880 foram palco da proliferação de um elevado número de organizações de mulheres caracterizadas por uma marcada natureza conservadora. Tendiam a enfatizar as virtudes da população feminina, como a abnegação e seu dever para com os mais desprotegidos, e suas responsabilidades no âmbito

---

56 Citado em Flexner, 1996, p.165.

doméstico, como cuidadoras dos filhos e guardiãs do lar. Susan B. Anthony, enxergando o potencial que se escondia por trás dessa rede organizativa, empenhou-se em unificar todas em torno da demanda do sufrágio. Desde meados da década de 1880, começou a defender a possibilidade de unificação de todas as mulheres, quaisquer que fossem suas crenças políticas, religiosas ou sociais, em torno de uma condição de mulher (*womanhood*) comum e da simples meta da igualdade política. Para concretizar esse projeto, em 1888, a NWSA organizou o Conselho Internacional de Mulheres (*International Council for Women*). Como se evidenciou em seus sucessivos congressos de 1893 e 1902, sua meta era demonstrar que as mulheres podiam manter-se unidas sob a única base de sua *womanhood,* embora no Conselho prevalecessem as mulheres brancas de classe média e alta. O discurso de abertura pronunciado por Elizabeth Cady Stanton deixa explícito esse objetivo:

> Dando as boas-vindas às representantes de outras terras aqui hoje, não sentimos que sejais estrangeiras, já que as mulheres de todas as nacionalidades, na artificial distinção entre os sexos, têm um universal sentido da injustiça, que forma um laço comum de união entre elas. (...) Uma diferença no governo, na religião, nas leis e nos costumes sociais provoca poucas diferenças no *status* das mulheres frente às classes autoconstituídas como governantes, já que a subordinação é a norma de seu ser. Através do sofrimento, temos aprendido a abrir os corações de cada uma. Há uma linguagem de significado universal, mais sutil que a usada nas agitadas praças dos mercados, que deveria ser denominada linguagem materna, pela qual com um suspiro ou uma lágrima, um gesto, um olhar, sabemos das experiências de cada uma das outras nas variadas formas de escravidão (Elizabeth Cady Stanton, citado em DuBois, 1992, p. 210).

O Conselho Internacional inaugurou uma nova era na consolidação da organização feminina em nível internacional, porém seu êxito na questão do sufrágio foi, a bem dizer, pequeno. De fato, quando Stanton propôs na sessão de encerramento que, a menos que os líderes políticos demonstrassem mais interesse pela causa do sufrágio feminino, as mulheres deveriam unir-se aos socialistas, comunistas e anarquistas, que verdadeiramente lutavam pelas liberdades inalienáveis do povo, foram muitas as mulheres que se mostraram em desacordo. Por essa razão, o tema do sufrágio foi tratado muito cautelosamente e não foi incluído na declaração final.

Aproveitando a inclinação para a unificação demonstrada pelas dirigentes da NWSA, a secretária da AWSA, Alice Stone Blackwell, propôs a elas unificar as duas associações. O processo culminou em 1890 com a criação da Associação Americana Nacional pelo Sufrágio para a Mulher (*National American Woman Suffrage Association* – NAWSA*)*. Esta associação nascia pressionada por um grande peso. Tratava-se de demonstrar, com sua criação, que as mulheres podiam superar suas diferenças ideológicas e políticas para fazer do sufrágio sua causa comum. Portanto, como não se podia mostrar nenhuma debilidade interna, decidiu-se não buscar o apoio de nenhum partido político fora da organização, medida que, de certo modo, também servia para ocultar o conservadorismo que acabou se apossando dela. Sua primeira presidenta foi Elizabeth Cady Stanton, porém apenas por dois anos, uma vez que era contrária aos princípios pelos quais se regia a nova organização. Ela não acreditava que o sufrágio pudesse ficar isolado do desenvolvimento político. E, diferentemente de sua eterna companheira, estava convencida de que as feministas deviam continuar participando da esfera política, aliando-se com as forças mais democráticas e radicais que pudessem encontrar. De fato, desde a década de 1890, Stanton estava se movendo para posturas próximas às do socialismo. Por fim, ficou cada vez mais interessada em outros assuntos, como a reforma da lei do divórcio e, sobretudo, no estudo e crítica da posição inferior que as mulheres ocupavam nas doutrinas religiosas.[57] Não é de se estranhar, pois, que as novas figuras que se perfilavam como líderes do movimento, como Carrie (Lane) Chapman Catt ou Anne Howard Shaw, sentissem pouca simpatia por ela. Finalmente, em 1892, Stanton renunciou a seu cargo, sendo substituída, até 1900, por Susan B. Anthony.

---

57 Resultado desses estudos foi sua obra *A bíblia da mulher* (*The woman's bible*), publicada em sucessivos volumes desde 1895 até 1898, na qual se fazia uma análise detalhada de todas as passagens do Antigo Testamento que se referiam à mulher.

De 1900 a 1920

Com a chegada do novo século, rompeu-se a colaboração que, durante quase 50 anos, haviam mantido Anthony e Stanton. Enquanto a primeira acreditava que não se devia permitir a intromissão de nenhuma outra causa na luta pela conquista do sufrágio e que a participação das mulheres em questões políticas provocaria a animosidade e o distanciamento dos defensores de sua causa, a segunda insistia que as sufragistas deviam ter um programa político para a reforma social e a emancipação da mulher em todos os sentidos. A vitória da posição de Anthony teve consequências fatais. Desde esse momento, o movimento sufragista, que até agora estivera conectado às forças revolucionárias que aspiravam alcançar a transformação total da sociedade, centrou-se exclusivamente na demanda do direito ao voto, porém sem promover nenhuma transformação da ordem social existente. Ellen Carol DuBois explica a nova situação da seguinte maneira:

> O sufragismo, nascido como um produto das forças liberais, como a Revolução Francesa, o socialismo utópico e o abolicionismo, não se viu mais, primordialmente, como parte de um esforço político maior para transformar a sociedade e alcançar a verdadeira democracia. Do mesmo modo, não se relacionou mais com a transformação radical da ordem sexual e a emancipação da mulher dos coercitivos estereótipos sexuais. De fato, o movimento sufragista estava tão consolidado, que outro termo – "feminismo" – teve que ser inventado para distinguir a pequena minoria que demandava a transformação radical da vida das mulheres daquela grande maioria de sufragistas que não se empenhava para que tal mudança ocorresse (DuBois, 1992, p. 193).

Quando se iniciou o século 20, as condições em que viviam as mulheres estadunidenses eram muito diferentes das que haviam vivido as mulheres do século anterior, embora as diferenças entre alguns Estados ainda fossem palpáveis. Quando foram admitidos na União Federal, muitos dos Estados da costa Oeste já haviam aprovado a igualdade formal perante a lei (mas não no aspecto político). Contribuíram para isto os esforços que as esposas dos primeiros colonos tinham feito para se adaptar às duras condições de vida daqueles territórios. Nos Estados da costa Leste, no entanto, a sociedade estava mais estratificada, era mais conservadora e sobre ela pesavam mais as tradições e os princípios religiosos sobre a condição inferior da mulher. Mas a área de maior conservadorismo continuava sendo o Sul, cuja evolução econômica desde antes da guerra civil havia sido lenta. Nessa região, a formação das mulheres não costumava superar o nível da educação primária e, muito raramente, eram obrigadas a trabalhar para ganhar o sustento.

Nessa época, também entraram em cena transformações importantes na vida das mulheres, sobretudo nos núcleos urbanos mais industrializados. Em primeiro lugar, aumentou notavelmente o número de mulheres trabalhadoras, sobretudo nas atividades industriais, no mundo dos negócios e nas profissões liberais. O censo de 1890 registrava um total de 4.005.532 empregadas e, em 1900, já incluía um total de 5.319.397.[58] O número crescente de trabalhadoras proporcionava novos argumentos para a reivindicação do voto. Já eram muitas as mulheres economicamente independentes que, por isso, não necessitavam da tutela de um homem que lhes administrasse suas propriedades e seus salários. O que realmente elas precisavam eram leis que as protegessem dos abusos de todo tipo que sofriam em seus locais de trabalho (jornadas de trabalho de dez e doze horas, salários abaixo do nível de subsistência, condições deploráveis, abusos sexuais etc.). E para conseguir tais leis deviam desfrutar previamente de certa influência política, que, pensavam, só conseguiriam com o direito de voto. Paralelamente, crescia o número de obras que analisavam as consequências que o trabalho tinha para a posição social das mulheres, algumas delas escritas pelas próprias mulheres, como o caso da obra *As mulheres e a economia. Um estudo das relações econômicas entre homens e mulheres como um fator na evolução social*, de 1898, de Charlotte Perkins Gilman.

Outro grupo dentro da população feminina, menos numeroso que o das operárias porém também muito influente, era o composto pelas primeiras mulheres formadas nas escolas superiores

---

58 Dados extraídos de Flexner,1996, p. 222.

(*colleges*) e universidades, dispostas a iniciar sua carreira no mundo acadêmico e profissional. Em 1900, havia um total de 5.237 mulheres graduadas por instituições reconhecidas, número que em 1910 havia crescido para 8.437, em comparação com 28.762 homens.[59] Para esse aumento, contribuiu a formação, em 1882, da *Sociedade pela Educação Superior para as Mulheres* (*Society for the College Instruction of Women*) e a abertura do *Bryn Mawr College,* em 1885, seguida do *Radcliffe College,* em 1893.[60] Às estudantes desta última instituição se exigia cumprir com os mesmos requisitos que os homens deveriam cumprir para ingressar na Universidade de Harvard e somente podiam se graduar com o visto de aprovação de um conselho desta universidade (*President and Fellows of Harvard*)[61]. Bryn Mawr converteu-se também em um símbolo de distinção intelectual graças a sua diretora, a sra. Martha Carey Thomas. Fervorosa defensora da capacidade de estudo e reflexão das mulheres e, consequentemente, de seu direito à igualdade de oportunidades, não é de se estranhar que ela acabasse se envolvendo no trabalho pelo direito de voto. Ao mesmo tempo, em numerosas instituições de ensino superior e universidades – Barnard, Smith, as Universidades de Wisconsin, Califórnia e Chicago – formaram-se grupos sufragistas que se fundiram na *Liga nacional de mulheres do ensino superior pela igualdade de voto* (*National College Women's Equal Suffrage League)* em 1908. Sua finalidade era fazer que as mulheres, uma vez alcançado o direito à educação superior e à independência econômica, dessem o segundo passo e lutassem pela conquista do voto, convertendo-se, assim, em cidadãs de pleno direito.

---

59 Flexner,1996, p. 226.

60 Para um estudo desta instituição particular e do trabalho desempenhado nela por uma de suas professoras, recomenda-se o trabalho de Manuel Fernando Alvarez González, "Feminismo e história da arte na América do Norte nos começos do século: Bryn Mawr College, Georgiana Goddard King e o descobrimento da arte medieval espanhola", *in*: *Universidad, sociedad y feminismo. Cambiando el conocimiento.* Oviedo: KRK, 1999.

61 As mulheres puderam se tornar alunas da Universidade de Harvard somente a partir de 1972. Vinte e cinco anos depois, a abertura da universidade às mulheres foi comemorada com um dos portões do *campus* universitário dedicado ao acontecimento.

As duas personalidades que, no novo século, substituíram Elizabeth Candy Stanton e Susan B. Anthony na liderança do movimento sufragista foram Carrie Lane Chapman Catt (1859-1947) e Anna Howard Shaw (1847-1919). Estas mulheres, líderes desse segundo momento do movimento, se diferenciavam de suas antecessoras por sua postura mais reacionária sobre os diferentes temas que afetavam a população feminina, incluindo o sufrágio. As paladinas da primeira fase queriam o voto por ser um "direito humano", as da segunda, fazendo eco a uma ideologia que poderíamos chamar de "vitoriana", reivindicavam o voto por considerá-lo "um privilégio" que se outorgaria às mulheres brancas por sua pureza inata – fizeram todos os esforços possíveis para manter distantes do movimento as afro-americanas – e porque seus instintos maternais as fariam amar a toda a humanidade e trabalhar em seu benefício.

Carrie Lane Chapman trabalhou como professora e posteriormente como jornalista, primeiro em um pequeno jornal local e depois em São Francisco. Depois da morte de seu primeiro marido, iniciou-se na luta pelo sufrágio em escala nacional, atividade na qual se consolidou após seu segundo matrimônio com George Catt, defensor incondicional da causa sufragista. Quando Anthony se aposentou da presidência da NAWSA em 1900, a mais capacitada para substituí-la era Catt, já que havia demonstrado ter grandes dotes para organizar a associação. Esta decisão era difícil para Anthony, uma vez que a única mulher que poderia ser a rival de Catt era Anna Howard Shaw, sua amiga e colaboradora durante os últimos 20 anos. Esta havia se formado na escola médica de Boston, em 1886, e se dedicou a trabalhar com as mulheres dos subúrbios de Boston. Começou sua atividade pelo sufrágio dando conferências na Associação pelo Sufrágio para a Mulher de Massachussetts (*Massachussetts Woman Suffrage Association*), onde despontou pelos seus dotes como oradora.

A presidência de Catt durou somente quatro anos, já que ela estava cada vez mais voltada para suas atividades no movimento sufragista internacional. Em 1904, colaborou intensamente na criação da Aliança Internacional pelo Sufrágio para a Mulher

(*International Woman Suffrage Alliance* – IWSA), que mais tarde se converteu na Aliança Internacional de Mulheres (*International Alliance of Women* – IAW), da qual seria presidenta durante os nove anos seguintes e a partir de onde trabalhou para estender a causa pelo sufrágio feminino a todo o mundo.

Deste modo, em 1904, a dra. Shaw chegou à presidência da NAWSA. Em consequência do vazio provocado pela morte de Anthony, sob seu mandato foram poucos os progressos realizados. O que se conseguiu foi graças a Catt que, apesar de sua atividade internacional, mantinha-se interessada nos assuntos nacionais e à filha de Elizabeth Cady Stanton, Harriot Stanton Blatch. Esta última acompanhara muito de perto os progressos do movimento sufragista inglês, do qual aprendeu certos métodos de trabalho, dentre os quais estavam os comícios nas saídas das fábricas, a interrupção dos líderes políticos em seus atos públicos e, inclusive, a provocação de confrontos que levassem à sua prisão e obrigassem as autoridades a se posicionar no tema do sufrágio. Quando se deu conta do pouco apoio que poderia obter na NAWSA, fundou sua própria associação em 1907, a *Liga de mulheres independentes pela igualdade* (*Equality League of Self-Supporting Women*), mais tarde convertida na *União política de mulheres* (*Women's Political Union*). Dela fizeram parte figuras como Leonora O'Reilly e Rose Schneiderman, originárias do movimento sindical. Esta foi a primeira organização de mulheres que se interessou por mobilizar as operárias pelo direito de voto, depois de chegar à seguinte conclusão:

> Vimos a necessidade de incorporar as operárias industriais na campanha sufragista e reconhecemos que estas mulheres necessitavam estar em contato, não com as mulheres que têm tempo livre, mas sim com as mulheres de negócios e profissionais que também estão fora no mundo ganhando a vida (Aileen Kraditor (ed.). *Up from de pedestal.* Chicago: Quadrangle Books, 1970. p. 251. Citado em Tax, 1980, p. 170).

À Liga de Mulheres Independentes pela Igualdade cabe a honra de ter sido a primeira entidade a organizar as passeatas pelo sufrágio. Após iniciar-se em Nova York em 1910, as passeatas proliferaram pelas principais cidades do país. Nelas se via a manifestação conjunta de mulheres de todas as classes. O periódico *Baltimore American*, de 15 de julho de 1912, assim relata uma dessas marchas:

> Mulheres que normalmente se assomam à Quinta Avenida das reluzentes janelas de suas limusines e carros turísticos marchavam alegremente junto às jovens de pele pálida e corpos delgados dos escritórios do *East Side*. A senhora O. H. P. Belmont marchava apenas alguns passos adiante de Rebecca Goldstein, que tocava uma máquina de costura em uma fábrica de camisas (...) A visão desta impressionante coluna de mulheres marchando, cinco à frente, pelo meio da rua, eliminava qualquer pensamento de ridículo. Eram mulheres comuns, genuinamente americanas (...) mulheres doutoras, mulheres advogadas, esplêndidas em sua série de togas acadêmicas; mulheres arquitetas, mulheres artistas, atrizes e escultoras; mulheres camareiras, serventes domésticas; uma grande representação de trabalhadoras industriais... todas marchavam com uma intensidade e resolução que deixavam pasmada a multidão que se alinhava nas ruas *(Baltimore American*, 15 de abril de 1912. Citado em Flexner, 1996, p. 251-252).

Não foi essa a única organização preocupada em mobilizar as operárias. Em 1910, foi criada a *Liga das Assalariadas pelo Sufrágio* (*Wage Earners' Suffrage League*), com Leonora O' Reilly como presidenta e Clara Lemlich como vice-presidenta. Não chegou a romper com a NAWSA. Considerava-se a sua ala da classe operária, e publicou panfletos e literatura sufragista dirigidos às operárias, nos quais o voto era apresentado como a panaceia para todos os males.

> *Por quê?*
>
> Por que você ganha menos que um homem?
> Por que você trabalha em um edifício sem proteção contra incêndios?
> Por que sua jornada é tão longa?
> Por que você fica de pé no ônibus se paga por um assento?
> Por que você paga aluguel maior pelas piores casas?
> Por que o custo de vida sobe enquanto os salários descem?
> Por que suas crianças vão para as fábricas?
> Por que você não consegue um acordo justo nos tribunais?
> PORQUE VOCÊ É UMA MULHER E NÃO VOTA,
> VOTOS FAZEM A LEI.
> VOTOS GARANTEM A APLICAÇÃO DA LEI
> A LEI CONTROLA AS CONDIÇÕES [DE TRABALHO].
> MULHERES QUE QUEREM MELHORES CONDIÇÕES DEVEM VOTAR.
>
> Panfleto, Arquivo de Leonora O'Reilly, caixa 15, pasta 357.

Apesar dos esforços realizados por estas duas organizações e das tentativas de aproximar posições – como o apoio que as sufragistas demonstraram às trabalhadoras do setor têxtil durante sua greve de 1909-1910 – as atitudes das integrantes da NAWSA e as do movimento operário eram inconciliáveis. Seus níveis de riqueza, seu estilo de vida e sua ideologia política as separavam. Mas, nem mesmo dentro das organizações operárias havia consenso sobre o que o sufrágio significava para as operárias. A *Liga Sindical de Mulheres* via o voto como uma solução, pelo menos parcial, para seus problemas, pois lhes permitiria pressionar por uma jornada de trabalho de oito horas, um salário mínimo e melhores condições de trabalho. Já a organização *Trabalhadores Industriais do Mundo* (*Industrial Workers of the World*) não só não o considerava útil, pois pouco poderia fazer para o avanço da luta revolucionária mas, ao contrário, o via como perigoso, pois poderia provocar uma cisão na luta de classes.

Outra organização que se separou da NAWSA nesta época, concretamente em 1913, foi a União Congressual (*Congressional Union*), presidida por Alice Paul (1885-1980). Após uma larga estadia na Grã-Bretanha, onde participou intensamente do movimento sufragista, regressou aos EUA, em 1910, para terminar seus estudos na Universidade da Pensilvânia. Dois anos mais tarde [1912], foi eleita presidenta do Comitê Congressual da NAWSA. Essa colaboração, porém, durou somente um ano. Suas seguidoras não estavam de acordo com a estratégia seguida por essa organização, que consistia em alcançar o sufrágio por meio de referendos estaduais e não por meio de uma emenda à Constituição Federal conforme foi a estratégia planejada por Susan B. Anthony, cuja linha de trabalho estavam dispostas a recuperar. Assim, [em 1913] nasceu a União Congressual que, em 1916, se transformou no Partido Nacional da Mulher (*National Woman's Party*), responsável pela organização de campanhas de piquetes na porta da Casa Branca e greves de fome para chamar a atenção dos políticos para sua causa.

O impulso final para conquistar o direito de voto foi dado pela entrada dos Estados Unidos na Primeira Guerra Mundial, em 1917. Como ocorreu anteriormente com a Guerra Civil, a Grande Guerra tirou as mulheres estadunidenses de seus lares e as impulsionou para trabalhos nos setores industrial e público, que foram abandonados pelos homens para irem à frente de batalha. Terminada a guerra, o presidente democrata Woodrow Wilson, que durante a campanha eleitoral de 1916 se mostrara contra a entrada na guerra e se opusera ao sufrágio feminino, não podia continuar mantendo a situação contraditória que era vivida em seu país. Os Estados Unidos justificavam sua participação bélica para estender a democracia a todo o mundo, mas as mulheres estadunidenses não podiam votar, direito que já desfrutavam as cidadãs de outros países.[62] O discurso que foi lido pelo presidente diante do Congresso, no dia 30 de setembro de 1918, expressava as causas pelas quais considerava necessário conceder esse direito:

> Aos dois partidos nacionais se solicita, explicitamente, a igualdade de sufrágio para as mulheres do país. Nenhum partido, portanto, me parece, pode justificar hesitações sobre o método de obtê-lo, nem pode, de direito, hesitar propondo a substituição da iniciativa federal por estadual, se a pronta adoção desta medida é necessária para a continuidade exitosa da guerra. (...) Fizemos das mulheres nossas parceiras nessa guerra; vamos admiti-las somente em uma parceria de sofrimento, sacrifício e trabalho árduo e não na parceria de privilégios e direitos? Esta guerra não teria sido enfrentada, nem pelas outras nações aliadas nem pela América, se não fosse pelos serviços das mulheres – serviços desempenhados em todas as esferas – não só nos campos nos quais estávamos acostumados a vê-las trabalhando, mas em todos os lugares onde os homens trabalham. (...) Lhes direi simplesmente que esta medida que os conclamo a adotar é vital para a vitória na guerra e (...) para a correta solução dos grandes problemas com os quais nos defrontaremos, e defrontaremos imediatamente, quando a guerra houver terminado (*Public Papers of Woodrow Wilson: War and Peace.* Baker and Dodd, I, 263-267. Citado em Flexner, 1996, p. 302-303).

A adoção da Décima Nona Emenda à Constituição foi aprovada finalmente pelo Congresso dos Estados Unidos em 1919 e

---

62 Na altura do ano de 1910, os Estados nos quais as mulheres tinham alcançado o direito ao voto eram Wyoming, que foi o pioneiro em concedê-lo em 1869; Colorado, em 1893; Utah, em 1895; e Idaho, em 1896. Em relação aos demais países, o primeiro a aprovar o sufrágio feminino foi a Nova Zelândia em 1893, seguido da Austrália em 1901, Finlândia em 1906 e Noruega em 1913.

ratificada, no ano seguinte, para ser incorporada à Constituição.[63] Nela se garantia o direito de voto a todos os cidadãos dos Estados Unidos, sem existir discriminação em função de sexo:

> O direito dos cidadãos dos Estados Unidos a votar não será negado ou limitado pelos Estados Unidos ou por nenhum Estado em razão de seu sexo. (...) O Congresso terá o poder para fazer cumprir este artigo por meio da legislação apropriada (National Archives and Records Administration, "The Woman Suffrage Movement").

Em uma tentativa de definir o movimento sufragista americano, podemos tomar a síntese de Alice Paul, ao ser perguntada sobre este assunto:

> Era um *movimento sem classes* (...) havia uma coisa que todas tinham em comum (...) era um sentimento de lealdade a nosso próprio sexo e um *entusiasmo* por eliminar toda a degradação que recaía sobre ele (Alice Paul, 1972-1973. Grifo da entrevistadora).

Esse ponto de vista contrasta com o das feministas socialistas, que qualificavam o movimento de burguês devido ao estrato social a que pertenciam suas líderes e porque estava centrado unicamente no tema do sufrágio, como bem refletia sua palavra de ordem "Nenhum imposto sem representação" (*No taxation without representation*).[64] Consideravam que seu único objetivo era conseguir, mediante o reconhecimento do direito ao voto, que as mulheres de sua classe pudessem desfrutar dos direitos e privilégios que gozavam os homens de sua mesma classe. Efetivamente, quando o Partido Nacional da Mulher conseguiu a aprovação da Décima Nona Emenda, logo passou a trabalhar pela aprovação da Emenda pelos Direitos Iguais (*Equal Rights Amendment* – ERA). No entanto, a colaboração que tiveram

---

63 Em 1923 foi apresentada ao Congresso, pela primeira vez, pelo Partido Nacional da Mulher, a Emenda pelos Direitos Iguais (*Equal Rights Amendment* – ERA), que ampliava o alcance da Décima Nona Emenda, garantindo a igualdade de direitos, sem qualquer discriminação por razão de sexo. Até 1972 esta emenda não havia sido aprovada, o que ocorreu graças ao trabalho desenvolvido pela *National Organization for Women* – NOW, presidida por Betty Friedan.

64 "*No taxation without representation*" foi uma das principais palavras de ordem das colônias estadunidenses na sua resistência ao domínio inglês. (N.T.)

feministas e socialistas, ainda que nem sempre exitosa, marcou o início de importantes laços de união entre umas e outras, que lutavam pelo reconhecimento de um direito comum, ainda que de pontos de vista diferentes.

O Partido Socialista Americano, o Comitê Nacional da Mulher e a criação do *Woman's Day*

O Partido Socialista Americano e a questão da mulher

No congresso de fundação do Partido Socialista Americano (PSA), realizado em Indianápolis em julho de 1901, o tema da questão da mulher ficou reduzido à aprovação de uma resolução em favor da igualdade de direitos civis e políticos para os dois sexos. Apesar desse desinteresse inicial pela questão da mulher, as operárias, que queriam algo mais que o apoio de um movimento sindical, e as mulheres de classe média, que desejavam ir mais além da simples obtenção do sufrágio e aspiravam à emancipação completa de seu sexo, começaram a considerar o PSA, que se proclamava herdeiro dos movimentos radicais existentes desde a Revolução Americana, como o veículo que necessitavam para alcançar seus fins.

O movimento de mulheres socialistas estadunidense começou a se desenvolver nos primeiros anos do século 20 em partes do país relativamente atrasadas, onde o peso das tradições ainda era forte, como eram os estados do meio oeste e do oeste e a Califórnia. Muitas delas deviam sua conversão ao socialismo à leitura do livro de Edward Bellamy, *Looking Backward* (1888).[65] Nele se demonstrava como todos os cidadãos podiam ser iguais participando em um sistema político democrático e compartilhando os benefícios do sistema de produção socialista. As mulheres gozariam de uma posição privilegiada nesta nova ordem social. Formariam parte, junto aos homens, da força de trabalho, mas não trabalhariam durante os períodos antes e depois do parto para garantir a saúde

[65] Publicado em português com o título *Daqui a cem anos. Revendo o futuro.* (N.T.)

da mãe e do filho. Haveria equipamentos pagos pelo Estado, como creches, restaurantes, lavanderias, que livrariam as mulheres de todas as tarefas domésticas, permitindo a elas desfrutarem de seus plenos direitos políticos e de sua independência econômica. Como vemos, a imagem que Edward Bellamy projetava da sociedade socialista era a mesma que August Bebel traçou em *A mulher e o socialismo*, publicado nove anos antes, embora escrevessem a partir de realidades sociais, políticas e econômicas diferentes.

Nos estados que citamos, as mulheres socialistas pioneiras foram se organizando em torno dos escritórios locais do Partido Socialista Americano, geralmente dirigidos por homens. Enquanto eles se reuniam na sede do partido ou no bar (*saloon*) para elaborar as campanhas de propaganda e campanhas eleitorais do partido, as mulheres se encontravam em seus clubes, geralmente instalados em seus lares. Nos clubes, elas se familiarizavam com a terminologia e a ideologia socialista, se instruíam na arte de falar em público e aprendiam sobre o funcionamento do sistema parlamentar, cultivando ao mesmo tempo um forte sentido de irmandade e solidariedade.

Nos centros urbanos industriais, como Nova York, St. Louis e Chicago, nos primeiros anos do século 20 também se assistiu ao nascimento de um movimento de mulheres socialistas. Ainda que tivesse muitas semelhanças com o que se desenvolvia nas áreas rurais, também apresentava diferenças destacadas. A primeira delas era, sem dúvida, a variedade de elementos étnicos que o compunham. Às nascidas nos Estados Unidos uniam-se as germano-americanas e as imigrantes judias, o que, em algumas ocasiões, tornou difícil a criação de um movimento homogêneo. Em segundo lugar, contrariamente às suas irmãs rurais, não viam o lar como um lugar adequado para a educação política, e sim como um cárcere que convertia as mulheres em seres tímidos e aprisionados à esfera privada. E em terceiro lugar, enquanto as socialistas das zonas rurais construíram toda uma rede de clubes autônomos visando o fortalecimento dos laços de solidariedade entre elas, suas colegas urbanas preferiam a integração das mulheres diretamente ao partido para potencializar, mais do que seus laços de irmandade, a sua consciência de classe.

À medida que o movimento de mulheres socialistas se tornava mais forte, o Partido Socialista Americano começava a se interessar por ele. Por um lado, tinha consciência da importância que o recrutamento de mulheres dentro de suas fileiras teria para poder competir nas urnas com os partidos mais fortes do país e naqueles estados em que a população feminina tinha direito de votar. Por outro lado, os acontecimentos internacionais também influenciaram na adoção de uma nova postura no que se refere à questão da mulher. Como assinalamos no segundo capítulo, no congresso da Segunda Internacional, realizado em Sttutgart em 1907, por insistência de Clara Zetkin, foi aprovada uma resolução na qual se propunha a todos os partidos socialistas membros levar a cabo uma campanha séria em favor do sufrágio feminino. O Partido Socialista Americano aproveitou o 3º Congresso Nacional do partido, realizado em Chicago de 10 a 17 de maio de 1908, para unificar sua política oficial a respeito da mulher e para enfrentar a questão da condição da mulher dentro do movimento.

As mulheres, por outro lado, seguiam adiante com seu movimento. Em 1907, fundaram a revista *Mulher Socialista* (*Socialist Woman*), rebatizada dois anos mais tarde como *Mulher Progressista* (*Progressive Woman*), editada por Josephine Conger-Kaneko.[66] Se considerarmos o trabalho na coordenação das atividades entre as mulheres feito pela revista, funcionando como veículo para a transmissão de informação entre elas e para a publicação de textos de Engels e Bebel sobre a condição feminina, a revista pode ser considerada *A Igualdade* americana. Sua editora, Conger-Kaneko, era uma socialista convicta e ela mesma o explicitava: "sou so-

[66] Josephine Conger-Kaneko não era uma figura desconhecida para as socialistas americanas. Foi educada no Ruskin College (Trenton, Missouri). Após trabalhar no periódico de seu irmão, passou a editora de uma coluna na revista *Apelo à Razão* (*Appeal to Reason*), publicada no Kansas, que por volta de 1903 alcançou a cifra de 200 mil assinantes. Em sua coluna, informava suas leitoras do desenrolar do movimento sufragista, das convenções da NAWSA, mas seu principal objetivo era instruí-las sobre o socialismo e as possibilidades que ele oferecia às mulheres para conquistarem sua libertação.

cialista. Mas o sou porque vejo na plataforma socialista a única emancipação possível para as mulheres e para as crianças da tirania e da superstição"[67]. A despeito dessa firme convicção, considerava que as mulheres deviam manter sua autonomia organizativa e seu próprio estilo de mobilização. Embora acreditasse que no futuro homens e mulheres trabalhariam juntos por seus ideais, esse momento ainda não havia chegado, uma vez que nem as mulheres estavam preparadas para colaborar em termos de igualdade com os homens nem estes estavam dispostos a aceitá-las:

> Há um grande acordo de que as mulheres precisam aprender sobre si mesmas, sobre sua história e as tradições de seu sexo. Essas coisas se aprendem melhor, como norma, numa organização separada, onde a mente se concentra melhor sobre o tema que interessa (Josephine Conger-Kaneko. "Separate Organizations", *Socialist Woman*, v. 1, April, 1908, p. 5. Citado em Buhle, 1983, p. 148-149).

Não era, de forma alguma, a única a adotar essa posição a respeito das organizações independentes de mulheres. Uma posição que, em outra ocasião, foi defendida por Clara Zetkin. Meta Stern, editora adjunta do *Jornal do Povo* (*Volkszeitung*), publicação da Federação das Mulheres Social-democratas (*Social Democratic Women's Federation*), composta por mulheres de origem alemã, compartilhava a mesma opinião. Baseava-se, para isso, na falta de interesse demonstrada até então pelos homens do partido no que diz respeito aos assuntos das mulheres e em sua crença de que estas, que tinham uma educação política mais deficiente que a dos homens, podiam desenvolver melhor suas habilidades e defender seus interesses em organizações separadas:

> A principal razão é que nas condições atuais os interesses das mulheres não são nem podem ser identificados com os dos homens. (...) Elas têm que lutar muito por algo que os homens já obtiveram há muito tempo e têm que aprender o que os homens, tendo (...) uma vida mais socializada, aprenderam há muito tempo (Meta Stern, "The Socialist Party and Women", *Socialist Woman*, v. 2, n.14, June, 1908, p. 9. Citado em Tax, 1980, p. 186).

---

[67] Josephine Conger-Kaneko, "Practical Suggestions", Woman's Tribune (October, 1903). Citado em Buhle, 1983, p. 117.

Apesar destas vozes discordantes e de seu convencimento de que os interesses dos dois sexos não eram os mesmos, as mulheres que participaram do congresso nacional do Partido Socialista Americano, de 1908, decidiram trabalhar dentro da estrutura do partido. Como prova disso, apresentaram nesse congresso duas moções, uma reivindicava a criação de um *Comitê Nacional da Mulher* (*Woman's National Committee* – WNC), para coordenar o trabalho entre as mulheres, e a outra exigia a elaboração de uma campanha ativa pelo sufrágio feminino. As duas propostas foram aceitas. Ao término do congresso, se aprovou a formação do WNC, composto por cinco membros, que ficaria sob a supervisão direta do Comitê Executivo Nacional, coordenaria e organizaria o trabalho entre as mulheres socialistas e serviria para aumentar o número de filiadas ao partido.[68]

A criação do Comitê Nacional da Mulher – WNC marcou uma nova era na história do movimento de mulheres socialistas estadunidense. Graças a seu trabalho propagandístico e educativo, aumentou consideravelmente o número de filiadas ao partido.[69] Ao mesmo tempo, e graças ao trabalho e ao talento de suas primeiras presidentas, Anna A. Maley e Caroline Lowe, o Comitê conseguiu desenvolver um programa coerente baseado, conforme a teoria socialista mais ortodoxa, na luta de classes como a única solução

---

68 Esta não era a primeira vez que se tentou a formação de um organismo nacional que integrasse todas as organizações independentes de mulheres socialistas e coordenasse o trabalho entre elas. Em 1901, foi criada a União Socialista Nacional da Mulher (*Woman's National Socialist Union* – WNSU). Mas esta organização teve uma vida curta, devido às diferentes posições que suas dirigentes, Wenonah Stevens Abbot, da Califórnia, e Imogene C. Fales, de Nova York, tinham sobre a posição que esta organização devia manter em relação ao partido socialista. Abbot sustentava que a WNSU devia ser uma associação fora da jurisdição do partido para que se garantisse a autonomia de seu setor feminino. E Fales sustentava justamente o contrário, isto é, que homens e mulheres deveriam trabalhar em pé de igualdade dentro do partido, razão pela qual essa associação devia ser controlada por ele. Devido a estas divisões internas e ao escasso apoio que recebeu do partido socialista, a WNSU desapareceu após o congresso nacional de 1904.

69 Por volta de 1912, calculava-se que 10% dos membros do partido eram mulheres. Dados extraídos de Tax, 1980, p. 88.

para a questão da mulher. Durante seu mandato, Maley conseguiu reforçar a posição do WNC, alcançando certa independência da burocracia do partido e conseguindo maiores recursos econômicos para impulsionar a criação de mais de 125 comitês locais femininos em todo o país. Quando deixou o cargo em 1911, foi sucedida por Lowe. Com ela o WNC se centrou mais no trabalho educativo, publicando uma grande quantidade de material propagandístico para atrair as mulheres ao socialismo e para instruí-las sobre os princípios dessa teoria política.

Em relação à segunda proposta apresentada pelas mulheres no congresso do partido de 1908, de impulsionar uma campanha ativa pelo sufrágio feminino, a postura adotada pelo Partido Socialista Americano foi mais comprometida. De um lado, a estratégia aprovada no congresso de Stuttgart, da Segunda Internacional, não deixava dúvida sobre a questão: as mulheres socialistas, em sua luta pelo direito ao voto, não deviam se aliar com os movimentos sufragistas burgueses; deviam, sim, desenvolvê-la em comum com os partidos socialistas:

> As mulheres socialistas não desenvolverão esta luta pela igualdade de direito ao voto em aliança com as sufragistas de classe média, mas sim em comum com os partidos socialistas, que consideram o sufrágio como uma das reformas fundamentais e mais importantes para a completa democratização do sufrágio em geral (Citado em Buhle, 1983, p. 222).

Partindo desta concepção, a postura que as socialistas tinham que adotar perante o movimento sufragista era clara. O socialismo havia ensinado a elas que esse era um movimento reformista, enquanto o socialista era revolucionário. As sufragistas só desejavam assegurar, mediante a obtenção do voto, os mesmos direitos que os homens de sua mesma classe já haviam obtido. Problemas como a exploração das crianças, os baixos salários, a prostituição, as longas jornadas de trabalho não podiam ser erradicados simplesmente porque as mulheres obtiveram o direito de votar. Para isso, era necessário que as mulheres unissem sua causa à do proletariado, para que homens e mulheres com consciência de classe conseguissem com seu voto fazer avançar a revolução socialista, que traria consigo a libertação de toda a humanidade. Lena Morrow Lewis, a primeira mulher a ser eleita membro do Comitê Executivo Nacional do Partido Socialista, no congresso de 1910, tinha claro quais eram os benefícios que a revolução socialista traria para toda a classe operária e o papel que o partido socialista deveria desempenhar na luta pela obtenção do sufrágio feminino:

> É nosso desejo levar o atual sistema capitalista a seu fim, e o triunfo da classe trabalhadora não poderá ser nunca possível sem o esforço conjunto de homens e mulheres interessados nesta grande luta (...) desejamos a queda do capitalismo porque (...) o progresso da raça e a preservação da sociedade exigem a derrocada do sistema de propriedade privada e o estabelecimento da classe trabalhadora como proprietária dos meios de produção. (...) No problema do não reconhecimento do sufrágio feminino, a questão que mais nos preocupa é: como asseguramos o direito da mulher ao voto? Através de que meios e método se assegurará seu poder político? (...) A constante vigilância e mobilização a favor do sufrágio completo e ilimitado é a única garantia e segurança contra o sufrágio limitado em benefício da classe possuidora. Nossa primeira obrigação é, então, criar uma opinião pública a favor do voto da mulher. Nosso programa atual deve ser ativo e agressivo nesta direção e os planos específicos elaborados pelo partido por meio do seu *Comitê da Mulher* devem ser cuidadosa e conscientemente seguidos pelos filiados ao partido. (...) Mas há um lugar onde as mulheres, apesar de não terem o direito ao voto reconhecido pelas leis de seu país, têm um certo poder político: é como membros com deveres na organização do partido socialista (...); é o único partido político que reconhece o direito fundamental da mulher votar. Um voto pelo sufrágio feminino é um voto pela emancipação da metade da raça humana. (...) As mulheres não poderão cometer erros mais graves que os homens no uso do voto. E é através do consenso unificado de homens e mulheres que asseguraremos uma melhor legislação e aceleraremos a chegada do dia para a reconstrução e reorganização da ordem social (Lena Morrow Lewis, *The Socialist Party and Women Suffrage*, 1977, p. 3. Microfilme).

Apesar desta clareza na argumentação teórica, a postura a ser adotada na prática não resultava tão óbvia para todas as mulheres socialistas. De fato, a relação entre sufragistas e socialistas desencadeou todo um debate, com partidárias da cooperação e com defensoras da não colaboração. As resoluções da Segunda Internacional faziam sentido nos países europeus, onde o direito ao voto era restrito aos proprietários com certo nível de riqueza e as sufragistas trabalhavam para estender o voto às mulheres nas mesmas condições, isto é, às proprietárias, e não para conquistar o sufrágio universal. Mas nos Estados Unidos, nenhum partido apoiava o sufrágio limitado. E, além disso, muitas das líderes do movimento de mulheres socialistas estadunidense, como Lena Morrow Lewis, Meta Stern ou Caroline Lowe, tinham começado sua carreira participando da Associação Americana Nacional pelo Sufrágio para a Mulher (NAWSA), e, naquele momento ainda, continuavam colaborando com ela. Além disso, como demonstraram as integrantes da *Liga de Mulheres Independentes pela Igualdade* e as da *Liga das Assalariadas pelo Sufrágio*, as dirigentes do movimento feminista tinham consciência da realidade em que viviam as mulheres da classe operária e da necessidade de conseguir seu apoio para conquistar o direito de voto para todas as americanas:

> As modernas condições econômicas estão expulsando centenas de milhares de mulheres de seus lares para o mercado de trabalho. (...) Em todos os trabalhos recebem um pagamento menor que os homens pelo mesmo trabalho, são discriminadas em todos os lugares, estão completamente à mercê de forças sobre as quais não têm controle. As instituições legislativas, sem entender nem as mulheres e nem o significado da entrada em massa das mulheres na indústria moderna, tomam medidas para regular os salários, as horas, as condições sob as quais deveriam trabalhar. (...) A exigência de uma completa revisão do estatuto legal, social, educativo e industrial não nos permite nenhuma protelação, nenhuma indecisão. A crença de que estamos defendendo o melhor para as mães de nossa raça e o mais alto bem-estar da sociedade faz todo o sacrifício parecer trivial, toda obrigação, um prazer. (...) Chegamos a um tempo que trouxe novos e estranhos problemas. (...) No ajuste de uma nova ordem de coisas as mulheres reivindicam voz igual. Não aceitaremos menos (Carrie (Lane) Chapman Catt. *The World Movement for Woman Suffrage, 1904 to 1911.* 1977, p. 12-14. Microfilme).

Os argumentos das partidárias da colaboração com as sufragistas se baseavam no fato de que no tema do sufrágio era mais importante o gênero que a classe, já que eram as integrantes do sexo feminino, de todos os estratos sociais, as que estavam privadas desse direito. Estas considerações eram sintetizadas por Meta Stern nos seguintes termos:

> Se as sufragistas, em seu conjunto, reconhecem ou não a luta de classes não é problema, já que o movimento pelo sufrágio não é uma questão de classe, mas uma questão de sexo. Dizemos e repetimos que a classe é mais importante que o gênero, mas, neste tema particular, todas as nossas afirmações sobre a luta de classes e a consciência de classe não têm sentido. Já que não é uma classe, mas todo um sexo – o sexo feminino em sua totalidade – que está desprovido do direito de voto nos Estados Unidos. (...) Portanto, devemos dar boas vindas a todas as mulheres que trabalham honestamente pela libertação de seu sexo (*New York Call*, 19 de dezembro de 1909. Citado em Buhle, 1983, p. 226).

A postura oposta, que sustentava que o mais importante era fortalecer a consciência de classe das trabalhadoras, era representada por Anita Block, editora do *New York Call*:

> O importante é (...) fazer com que [a mulher] se dê conta de que, ainda que tenha direito ao voto, e deve tê-lo, não lhe adiantará de nada até que aprenda a utilizá-lo do lado da classe trabalhadora, contra a classe capitalista, e a favor de uma ordem social nova e radicalmente diferente (*New York Sunday Call*, 2 de janeiro de 1910. Citado em Tax, 1980, p. 191).

Tanto em sua obra literária (exemplo da qual é o poema com o qual iniciamos este capítulo) como no desenvolvimento de sua experiência de vida, a figura que melhor sintetizou a possibilidade de colaborar com as sufragistas e as socialistas em defesa dos direitos da mulher foi Charlotte Perkins Gilman (1860-1935). Nela própria, como reconhece Mary A. Hill, se debatiam duas posturas em relação ao tema da mulher: "Como ser uma militante pelo sufrágio, se não considerava o tema do sufrágio atraente? Como ser uma reformista, se achava a política organizada enfadonha?".[70]

Ela é conhecida principalmente por ser autora de *The Yellow Wallpaper* (1892), narrativa em que aborda a crise emocional que sofreu após o nascimento de sua filha e da qual nunca chegou a se recuperar por completo. Esse livro se converteu em um dos textos centrais nas aulas de história do feminismo nos Estados Unidos. Suas preocupações sobre o tema da mulher iam mais além, como se reflete em sua obra *As mulheres e a economia* (1898). Nessa obra

---

[70] Mary A. Hill, *Charlotte Perkins Gilman. The Making of a Radical Feminist, 1860-1896*, Philadelphia: Temple University Press, 1980, p. 260.

examina de maneira crítica as implicações sexuais da dependência econômica das mulheres, fundamentada tanto na crença de que as mulheres deviam ser economicamente independentes quanto em sua experiência pessoal, trabalhando como escritora para manter a si mesma e sua filha após o divórcio de seu marido. Analisou o problema de um ponto de vista biológico, utilizando como base as teorias do darwinismo social, e chegou à elaboração de uma explicação histórica sobre o desenvolvimento dos papéis sexuais. Não acreditava que os papéis sexuais não pudessem ser desempenhados de forma alternativa por mulheres e homens, pois, a partir do momento em que as mulheres podiam trabalhar para ser economicamente independentes, a divisão tradicional dos papéis femininos e masculinos já não tinha sentido. Se elas haviam demonstrado que podiam desempenhar papéis que ao longo de gerações foram desempenhados por homens, estes podiam perfeitamente realizar os papéis exercidos pelas mulheres, sem ser por isso menos masculinos.[71]

Nascida no seio de uma família com inclinações reformistas, viveu uma existência atormentada, como muitos dos que se adiantam a sua época, encurralada pela contradição entre seu desejo de ser economicamente independente e viver sem amarras, e seu anseio de ter uma vida familiar feliz e prazerosa. Em 1884, casou-se com Walter Stetson, de quem se divorciou dez anos mais tarde. Dessa união nasceu, em 1885, sua única filha. Em 1900, casou-se com Houghton Gilman, casamento que durou até a morte dele em 1934 e com quem alcançou a relação entre iguais, como ela acreditava que deveria ser o casamento.

Sua experiência como sufragista começou com a participação, como oradora, em janeiro de 1896, na 27ª Convenção pelo Sufrágio, presidida por Susan B. Anthony e realizada em

[71] A preocupação com a independência econômica das mulheres e com os trabalhos que elas desempenhavam a acompanhou sempre. Em 1893, ganhou a medalha de Ouro da *Alameda County Federation of Trades* por seu ensaio "O movimento trabalhista" (*The Labor Movement*). Publicou, em 1911, na revista *The Forerunner*, que ela mesma editava, o artigo "O homem sustenta sua esposa?" (*Does a Man Support his Wife?*). Nele analisava a posição econômica da dona de casa dentro da unidade familiar, considerada como unidade de produção econômica.

Washington D.C. Recorreu a Anthony em busca de argumentos originais, teorias novas e um debate político mais intenso sobre a questão da mulher que, de acordo com sua concepção, não se prendia, e muito menos se reduzia ao tema do sufrágio. Por isto, em julho de 1896, participou como delegada da *Alameda Federation of Trades* no congresso da Internacional Socialista realizado em Londres. A primeira atividade que acompanhou foi uma manifestação ocorrida no dia 26 em Hyde Park, anunciada como "Grande demonstração em favor da paz internacional", e na qual desfilou ao lado de uma figura de grande reconhecimento internacional como August Bebel. Nesse congresso, familiarizou-se com as reivindicações do movimento socialista internacional, entre as quais estavam a jornada de trabalho de oito horas diárias e o sufrágio universal, como expresso na resolução aprovada pelos delegados ao final do congresso:

> Esta reunião internacional de trabalhadores (...) declara que (...) o único meio para prevenir as guerras e assegurar a paz é a abolição do sistema capitalista e da propriedade privada da terra, nos quais as guerras têm sua raiz, e, portanto, promete trabalhar pelo único meio pelo qual este sistema pode ser derrotado – a socialização dos meios de produção, distribuição e troca – (...) além disso, esta reunião reconhece que o estabelecimento de uma jornada de trabalho internacional de oito horas para todos os trabalhadores é o passo mais imediato no sentido da total emancipação, e adverte os governos de todos os países da necessidade de ter uma jornada de trabalho de oito horas aprovada por lei. Além disso, considerando que a classe trabalhadora só pode conseguir sua emancipação econômica e social ocupando as estruturas políticas, hoje nas mãos da classe capitalista, e, considerando que em todos os países um elevado número de operários e todas as operárias não têm direito de voto e não podem tomar parte na ação política, este encontro de trabalhadores se declara favorável e se propõe a realizar todo esforço para obter o sufrágio universal (Arquivo de Charlotte Perkins Gilman. Caixa 1, pasta 5. Microfilme).

Em 1899 participou de novo como oradora no Congresso Internacional de Mulheres (*International Congress of Women*), realizado em Londres, do qual participaram Susan B. Anthony e Anne Howard Shaw, como delegadas pelos Estados Unidos. Em 1907 uniu-se à Liga de Mulheres Independentes pela Igualdade e, em 1910, a encontraremos celebrando o *Woman's Day* em Nova York.

Esta difícil questão sobre a conveniência ou não da colaboração com o movimento sufragista foi resolvida no congresso nacional do partido, realizado em Chicago de 15 a 21 de maio de 1910. A controvérsia, todavia, já havia começado no ano anterior, quando as mulheres socialistas de Nova York, diante do conservadorismo evidente que rodeava a NAWSA, aprovaram uma resolução contrária ao trabalho em comum. Apesar de manifestarem sua simpatia a qualquer organização que trabalhasse pelo direito ao voto das mulheres, para elas era prioritário aumentar a consciência de classe entre suas irmãs proletárias pois as duas classes em que se dividia a sociedade, a burguesa e a operária, estavam mais divididas do que estava o gênero. Nesse congresso foi vitoriosa a posição das delegadas novaiorquinas. Os participantes do congresso aprovaram a resolução apresentada pelo Comitê Nacional da Mulher (NWC), presidido por May Wood-Simons, e que apresentava a seguinte posição:

> Estando provado que a privação do direito ao voto representa para a mulher um aumento de sua dependência econômica, nós recomendamos ao partido tomar as medidas mais enérgicas no que concerne à questão do sufrágio feminino, medidas que, entretanto, deverão ficar sob a supervisão do partido e respeitar seu programa. Para dar um primeiro passo neste sentido, propomos que a cláusula do programa nacional do partido sobre a igualdade de direitos sem restrições de sexo seja emendada para que sua redação fique como se segue: Considerando que (...) o partido socialista representa o interesse do conjunto da classe trabalhadora, sem restrições de sexo (...) fica aprovado que o partido socialista reivindicará o direito de voto para as mulheres, sem restrições de sexo, de cor ou de raça, e que se compromete a divulgar este direito, a defendê-lo e a fazer propaganda a seu favor (May Wood-Simons, Winnie E. Branstetter e Theresa Malkiel. "Relatório da propaganda entre as mulheres", no Relatório estenográfico do Congresso Nacional do Partido Socialista, 1910, p.180. Citado em Côté, 1984, p. 129).

Ao final, venceu a posição das partidárias da não colaboração com as sufragistas burguesas e foi aprovada a formação de Sociedades Socialistas pelo Sufrágio em todas as localidades, integradas por mulheres do partido que se mobilizariam pela obtenção do direito ao voto separadamente do movimento feminista burguês.

As primeiras comemorações do *Woman's Day*

O compromisso oficial do Partido Socialista Americano com o sufrágio feminino deu-se com a designação do último domingo do mês de fevereiro, dia 28 de fevereiro de 1909, como o *Woman's Day*. O Comitê Nacional da Mulher se encarregou de sua preparação.[72] Nesta data, alguns meses antes que as empregadas do setor têxtil de Nova York iniciassem sua greve, foi celebrado pela primeira vez um dia dedicado à reivindicação dos direitos das mulheres. A historiadora Renée Côté argumenta que esse compromisso por parte do partido só se deu devido ao temor de que quando as mulheres alcançassem o direito de voto, em vez de votar no PSA, votassem nos outros partidos. Nesse sentido, o interesse dessa organização pelos temas das mulheres era meramente eleitoreiro. Fosse como fosse, o certo é que a executiva fez circular por todas as seções locais a ordem de reservar o último domingo de fevereiro para a realização de uma manifestação a favor do sufrágio feminino, direito que, inclusive, recomendava-se que fosse incluído nas reivindicações das atividades do 1º de Maio:

> Recomendamos que todas a seções locais do partido socialista dediquem o último domingo de fevereiro de 1909 à realização de uma manifestação a favor do direito de voto das mulheres. (...) Recomendamos que todas as seções locais do partido socialista introduzam as questões do sufrágio feminino e do sufrágio limitado na ordem do dia das comemorações do 1º de Maio ("Atas do Comitê Executivo sobre o trabalho entre as mulheres", em *Chicago Daily Socialist*, 28 de dezembro de 1908. Citado em Côté, 1984, p. 91).

Em Chicago, cidade onde se localizava o quartel general do partido socialista, a celebração do *Woman's Day* teve de ser antecipada para 31 de janeiro de 1909 porque o Teatro

---

[72] No ano anterior, no entanto, alguns dias antes da realização do 3º Congresso Nacional do partido em Chicago, concretamente no dia 3 de maio, as partidárias de um movimento feminista e socialista independente do partido celebraram um *Woman's Day*, no qual se denunciava a opressão das mulheres, mas ele foi "esquecido", logo que, ao final do congresso, foi aprovada a criação do Comitê Nacional da Mulher, vinculado ao partido socialista e controlado de perto por seu Comitê Executivo.

Garrick, principal ponto de encontro da cidade, não estava disponível para aquela data. A jornada se dedicou ao tema "A mulher e o progresso social" (*Woman and Social Progress*) e as apresentações que aconteceram no teatro, e que foram noticiadas no *Chicago Daily Socialist* de 28 de fevereiro, foram muito diversas. Corinne S. Brown, Mary A. Livingston, e Gertrude Breslau-Hunt fizeram discursos sobre a questão da mulher e o trabalho do partido socialista a esse respeito. Florence Jessop interpretou um solo ao violino e Eirine Benziger trouxe leveza ao ato com suas canções.

Chicago não foi o único lugar do país onde o *Woman's Day* foi celebrado. No Estado de Nova York houve, ao menos, cinco encontros pelo sufrágio feminino e pela luta socialista, em alguns dos quais participaram Meta Stern e Leonora O'Reilly, ainda que nenhum deles tenha sido anunciado como comemoração do *Woman's Day*. Outras cidades em que se celebrou esta jornada foram Newark (Nova Jersey), Springfield (Massachusetts) e Los Angeles (Califórnia). O êxito do *Woman's Day* de 1909 foi tal que as mulheres socialistas tiveram a expectativa que a jornada passasse a ser uma celebração anual.

E assim ocorreu. No ano seguinte, 1910, o *Woman's Day* voltou a ser comemorado no último domingo de fevereiro, dia 27. E nesta ocasião com os objetivos mais definidos. O interesse em uma data desse tipo era duplo. Por um lado, com ela pretendia-se despertar a consciência de classe das operárias, fazê-las refletir sobre sua situação na sociedade e as causas da escravidão econômica a que estavam submetidas. Por outro, aumentar seu interesse pelo Partido Socialista Americano, que se vangloriava de ser o único que defendia e lutava pela igualdade econômica e social de homens e mulheres. Além disto, e ainda que o último domingo de fevereiro fosse dedicado exclusivamente às mulheres e seus problemas, com isso se pretendia também conscientizar os homens, tanto de dentro como de fora do partido, sobre a situação de suas companheiras na sociedade e a necessidade de lutar pelo fim de sua discriminação. Portanto, como afirmaria Lena Morrow

Lewis, a celebração do *Woman's Day* era um passo a mais na luta para fazer triunfar a revolução socialista e a construção de uma nova ordem social.[73]

Os atos do *Woman's Day* em Chicago voltaram a acontecer no Teatro Garrick. Desta vez a chamada foi "Dia da Mulher no Garrick Theatre" e compareceram mais de 1.500 mulheres. A estrela do ato foi May Wood-Simons, então presidenta do Comitê Nacional da Mulher Socialista (*National Socialist Woman's Committee*) e editora do *Chicago Daily Socialist*, que voltou a reivindicar a libertação das mulheres da escravidão a que estavam submetidas e a concessão da igualdade política e econômica.

Em São Francisco, a celebração foi no Golden Gate Commandry, com a participação de mais de 800 pessoas, entre as quais havia alguns homens. Além das integrantes do grupo local, Emma P. Gray e Dorothy Jons, também compareceu a presidente da Associação pela Igualdade de Sufrágio (*Equal Suffrage Association*), Elizabeth Lowe-Watson. O tema central dos discursos das três foi a reivindicação do sufrágio feminino como passo prévio e necessário para alcançar a libertação do sexo oprimido.

Em Nova York, o local escolhido foi o Carnegie Hall, que ficou pequeno para abrigar as mais de três mil pessoas que compareceram à comemoração. Meta Stern participou da celebração como presidenta da assembleia e, fiel a seus ideais, voltou a repetir que o sexo oprimido, isto é, todas as mulheres, e o proletariado eram aliados naturais. A segunda intervenção ficou a cargo de Charlotte Perkins Gilman e a terceira, de Rose Schneiderman, vice-presidenta da Liga Sindical de Mulheres. É importante lembrar que desde setembro do ano anterior as operárias do setor têxtil de Nova York e de outras cidades estavam em greve, como já analisamos no primeiro capítulo, e esta jornada converteu-se em uma oportunidade a mais para estreitar os laços entre as

---

73 Lena Morrow Lewis, "Woman's Day Special Edition" no *Chicago Daily Socialist*, 23 de fevereiro de 1911. Citado em Côté, 1984, p. 98.

mulheres do partido socialista e as trabalhadoras, que tinham terminado seu protesto apenas 12 dias antes da celebração do *Woman's Day* e que foram convidadas a participar dos atos do Carnegie Hall.

Sem dúvida, a celebração do *Woman's Day* mais importante foi a que aconteceu na cidade de Nova York, não tanto pelo brilhantismo ou originalidade dos seus atos, mas pelo significado dos mesmos. O fato de terem sido as grevistas do setor têxtil, protagonistas do "Levante das 20 mil", que participaram da comemoração dessa jornada é muito revelador. Ele nos permite demonstrar que as origens do antecedente imediato do Dia Internacional da Mulher, isto é, o *Woman's Day*, não estavam em nenhuma manifestação de operárias, como sustentava o mito mais divulgado na historiografia americana, mas sim que foram as trabalhadoras, que haviam terminado sua greve 12 dias antes, que participaram dos atos celebrados pelas socialistas em defesa do direito ao voto das mulheres.

A celebração do *Woman's Day* por parte das socialistas americanas demonstrou que as lutas de classe e de sexo não eram, como tampouco são na atualidade, tão fáceis de diferenciar e separar. Nesse sentido, as teorias socialistas que conclamavam para um enfrentamento de classe, por entender que os interesses de todo o proletariado, homens e mulheres, eram iguais, já que ambos se encontravam oprimidos e explorados no sistema capitalista, e opostos aos da burguesia, se equivocavam. Dado que a reivindicação feita com a celebração de um *Woman's Day* era o direito de voto para as mulheres, as operárias podiam se identificar mais com as sufragistas do que com os homens de sua mesma classe social. As mulheres socialistas e as sufragistas reivindicavam um mesmo direito, o sufrágio. E por essa razão, neste aspecto concreto de sua luta, era mais fácil que se identificassem umas com as outras do que com os homens de suas respectivas classes sociais, que desfrutavam de um privilégio que a elas era negado pelo simples fato de serem mulheres, e não por pertencerem a uma determinada classe social.

O *Woman's Day* saiu fortalecido do congresso do partido de 1910[74], pois nele foi aprovado reservar o último domingo de cada mês de fevereiro para a reivindicação do direito ao sufrágio feminino. Foi aprovado, também, recomendar às delegadas que iam participar da 2ª Conferência Internacional de Mulheres Socialistas de Copenhague, que se realizaria em agosto desse mesmo ano, que propusessem o último domingo do mês de fevereiro como o Dia Internacional da Mulher.

O *Woman's Day* continuou sendo celebrado com a mesma reivindicação no último domingo de fevereiro, pelo menos, até 1914. A partir dessa data, os órgãos executivos do PSA passaram a ser controlados por membros da ala mais conservadora, que nunca haviam considerado o sufrágio feminino como um direito que todas as mulheres deviam ter, mas sim como um argumento para comprar o voto das operárias e zelar, assim, pelos interesses eleitorais do partido. A revista *Mulher Progressista* deixou de ser editada em 1914 e, no ano seguinte, foi dissolvido o Comitê Nacional da Mulher, utilizando-se a desculpa de que era um órgão muito caro para se manter e que o trabalho entre as mulheres era desnecessário. Esta decisão fez com que as socialistas americanas se vissem privadas de um marco no qual pudessem desenvolver suas atividades políticas a favor das mulheres. Muitas continuaram no partido como simples militantes, mas outras se uniram ao Partido Nacional da Mulher, fundado por Alice Paul um ano antes. Para a historiadora Mari Jo Buhle, essas medidas provaram que os socialistas somente defendiam o sufrágio feminino para manter sua imagem de defensores da igualdade, mas, no fundo, não estavam dispostos a lutar por ele:

> O sufrágio feminino não era a questão de classe que os socialistas argumentavam; era, mais exatamente, um tema que obrigava os ativistas do partido a respeitar os ideais igualitários que eles professavam ou, do contrário, apareceriam como uns farsantes (Buhle, 1983, p. 240).

---

[74] Realizado em maio de 1910 em Chicago, três meses antes da Segunda Conferência Internacional de Mulheres Socialistas. (N.T.)

Com isso ficava demonstrado que não era o Partido Socialista Americano em seu conjunto, mas apenas uma minoria dentro dele, que estava a favor da causa do sufrágio. Apesar do grande trabalho que desenvolvia em seu favor, como ocorreu no caso alemão e se repetirá no caso russo, uma vez que as mulheres eram atraídas para suas fileiras para que o voto delas fosse garantido, seus problemas deixavam de interessar. Desde esse momento, as organizações e publicações que trabalhavam exclusivamente pelos direitos da mulher foram dissolvidas e a política nos temas femininos passava a ser definida pelos homens.

O *Woman's Day* se internacionaliza: O nascimento do Dia Internacional das Mulheres e sua comemoração na Europa até o fim da Segunda Guerra Mundial

> "O Dia das Mulheres ou o Dia das Mulheres Trabalhadoras é um dia de solidariedade internacional e um dia para rever a força e a organização das mulheres proletárias. Mas não é um dia especial somente para as mulheres. O 8 de março é um dia histórico e memorável para os trabalhadores e para os camponeses, para todos os trabalhadores russos e para os trabalhadores de todo o mundo".
>
> Alexandra Kollontai, *Dia Internacional das Mulheres,* 1982

No transcorrer da nossa investigação buscando as origens do Dia Internacional da Mulher, fizemos um grande percurso através dos movimentos de mulheres burguesas e socialistas na Alemanha, país natal de Clara Zetkin, que propôs a criação de tal comemoração, e nos Estados Unidos, território que viu nascer, por iniciativa do Partido Socialista Americano, um dia dedicado à reivindicação dos direitos da mulher. Ainda nos falta, no entanto, outro local a percorrer: Rússia, país que, pela primeira vez na história, pôs em prática as teorias socialistas sobre a revolução do proletariado e que tem estreita relação com nossa pesquisa, por ser ali que Alexandra Kollontai desenvolveu suas atividades políticas, a mulher que liderou o movimento de proletárias russas, fazendo delas partícipes do processo revolucionário que culminou em outubro de 1917. Além disso, provaremos que os acontecimentos que marcaram o início da Revolução Russa são os que levaram à escolha do dia 8 de março para a comemoração do Dia Internacional da Mulher.

O nascimento do Dia Internacional das Mulheres e sua comemoração na Europa até a Primeira Guerra Mundial

Para estabelecer o nascimento exato do Dia Internacional da Mulher devemos voltar ao movimento internacional de mulheres socialistas e a sua Segunda Conferência. Realizada em Copenhague, nos dias 26 e 27 de agosto de 1910, ali se constatou a força e o êxito que, em apenas três anos, o movimento havia alcançado. Como prova disso, basta ver que as delegadas da Primeira Conferência, de Stuttgart, eram 52, enquanto que nessa última seu número subiu até a cifra de cem.

Segundo a ordem do dia, os temas discutidos centravam-se no trabalho pelo voto feminino universal, a proteção social para mães e filhos e a aprovação de medidas para assegurar relações mais regulares e firmes entre as mulheres socialistas de todos os países.[75]

No que diz respeito ao tema do sufrágio, já debatido na conferência de Stuttgart, foi adotada uma resolução na qual somente se aceitava como válido o sufrágio universal para todos os cidadãos, maiores de idade, sem distinção de sexo.

> O movimento de mulheres socialistas (...) está lutando pela única expressão viável e concreta deste princípio: sufrágio universal para todas as mulheres que alcançaram a maioridade, sem qualificações de propriedade, impostos, educação ou qualquer outro tipo que impeça aos membros da classe operária desfrutar de seus direitos civis (Citado em Dazhina, 1984, p. 52).

Foram repetidas as reivindicações adotadas pelos social-democratas para proteger as mães e seus filhos, como a jornada de trabalho de oito horas, a proibição de utilização de mão de obra feminina nas áreas mais insalubres da produção industrial, 16 semanas de licença-maternidade e a aprovação de um seguro obrigatório para a maternidade.

---

[75] *História da Segunda Internacional. Congresso Socialista Internacional.* Copenhague, 28 de agosto a 3 de setembro de 1910, vol. IX, fascículo 19. Genebra: Minkoff, 1981, p. 48-49.

Mas o aspecto que mais nos interessa destacar é a aprovação de medidas para estreitar as relações entre as mulheres socialistas de todos os países. Clara Zetkin juntamente com Kate Duncker e outras companheiras apresentaram a seguinte moção a este respeito:

> De acordo com as organizações políticas e sindicais do proletariado, as mulheres socialistas de todas as nacionalidades organizarão em seus respectivos países um dia especial das mulheres, cujo principal objetivo será *promover o direito de voto das mulheres*. Será necessário debater esta proposição com relação à questão da mulher a partir da perspectiva socialista. Esta comemoração deverá ter um *caráter internacional* e será necessário prepará-la com muito esmero (Citado em Foner, 1984, p. 108. Grifo da autora).

Lendo o texto da proposição, saltam à vista três elementos que não podemos deixar de destacar. Primeiro, o Dia Internacional da Mulher tem suas origens, indiscutivelmente, no movimento internacional de mulheres socialistas do final do século 19 e início do século 20. E tinha como finalidade específica promover a luta pelo direito ao voto da mulher, sem nenhum tipo de restrição baseada no nível de riqueza, de propriedades ou de educação.[76] Segundo, e ao contrário da versão aceita pela maioria das autoras e autores que tratam deste tema, na proposição aprovada não é citado nenhum acontecimento em destaque ou relevante para a história das mulheres que seria comemorado com a celebração desse dia dedicado a elas. Da mesma forma, também não foi definida uma data precisa para que ela fosse organizada. E em terceiro lugar, se as estadunidenses, que tinham começado a celebrar oficialmente uma festividade dedicada à mulher no ano anterior, falavam do *Woman's Day*, isto é, do Dia da Mulher, Clara Zetkin já falava de um *Women's Day*, isto é, de um Dia das Mulheres. A mudança do singular para o plural tem relação com

---

76 Alexandra Kollontai, a única mulher delegada presente nas conferências de Stuttgart e Copenhague que escreveu sobre a comemoração e significado do Dia Internacional da Mulher, mostra que Zetkin propôs inclusive a palavra de ordem com a qual se deveria celebrar esse dia: "O direito de voto para as mulheres aumentará nossa força na luta pelo socialismo". Alexandra Kollontai, *International Women's Day*, 1982, p. 7.

o caráter internacional que a festividade iria adquirir a partir de então. E, incontestavelmente, com o fato de que Zetkin buscava impedir que as iniciativas tomadas pelo movimento feminista burguês, de criar associações de mulheres com caráter internacional – como o Conselho Internacional de Mulheres (1888) ou a Aliança Internacional pelo Sufrágio para a Mulher (1904) –, fizessem sombra ao movimento de mulheres socialistas.

Se permanecia alguma dúvida de que a ideia da criação de uma comemoração como essa foi o *Woman's Day* americano, a própria Zetkin a esclarece em um artigo que ela escreveu, publicado em *A Igualdade*, em 29 de agosto de 1910:

> Entre outras coisas, pensamos em tirar proveito da data do 1° de Maio – a exemplo dos companheiros austríacos que fazem dela um acontecimento magnífico – ou inclusive organizar uma jornada especial, um dia das mulheres anual, seguindo o exemplo das companheiras americanas (Citado em Côté, 1984, p. 135).

O paralelismo entre o Dia Internacional da Mulher e o 1° de Maio, ambos frutos do movimento operário internacional, não era difícil de estabelecer. Se o 1° de Maio tinha nascido em 1889 para reivindicar a jornada de trabalho de oito horas, o Dia Internacional da Mulher tinha nascido para reivindicar o direito de voto para o sexo feminino. Mas ambos passaram a significar mais que isso. Prova disso é o fato de que, mesmo tendo sido alcançadas as demandas iniciais que reivindicavam, as duas datas continuaram e continuam sendo comemoradas na atualidade. De acordo com Temma Kaplan, as festas eram o método utilizado por socialistas e anarquistas do final do século 19 para criar tradições comuns e laços de união entre as pessoas que os apoiavam. No final, mais que a data, o que realmente importava era unir a comunidade em torno de algumas metas comuns que fortalecessem seu sentido de solidariedade.[77] Para chegar a esta conclusão não precisamos de nada mais que ler a análise que duas mulheres social-democratas, Rosa Luxemburgo e Alexandra Kollontai, fizeram sobre o 1° de

---

[77] Kaplan, 1985, p. 164.

maio e o Dia Internacional das Mulheres, respectivamente. Sobre o 1º de maio, Luxemburgo escreveu:

> O 1º de Maio levantou a palavra de ordem da jornada de trabalho de oito horas. Porém, mesmo depois de alcançado esse objetivo, a comemoração do Primeiro de Maio não foi abandonada. Enquanto não terminar a luta dos trabalhadores contra a burguesia e contra a classe dominante, enquanto não forem alcançadas todas as exigências, o Primeiro de Maio será a expressão anual dessas reivindicações (Luxemburgo, 1971).

Alexandra Kollontai refletia sobre o Dia Internacional das Mulheres: "Esse devia ser um dia de solidariedade internacional na luta por objetivos comuns e um dia para revisar a força organizada das mulheres trabalhadoras sob a bandeira do socialismo" (Kollontai, 1982).

Aprovada a moção sobre a comemoração de um Dia Internacional das Mulheres com o objetivo de reivindicar seu direito ao voto, só faltava levar à frente os preparativos para celebrá-lo. A única mulher que escreveu, ainda que dez anos mais tarde, sobre o significado e a primeira celebração do Dia Internacional das Mulheres foi Alexandra Kollontai em seu panfleto *Dia Internacional das Mulheres* [ver anexo – documento n. 5]. Segundo sua própria explicação, um dia assim era necessário para que as mulheres da classe operária, que com seu trabalho estavam contribuindo para o crescimento da economia de seus respectivos países, se dessem conta de que tinham direito de participar na vida política e para isso era necessário que tivessem o direito de votar. A data escolhida pelas companheiras alemãs para essa primeira comemoração foi o dia 19 de março de 1911, data carregada de significado para o proletariado alemão. Nesse dia do revolucionário ano de 1848, Guilherme I da Prússia reconheceu a força do povo em armas e fez promessas, que em seguida não cumpriria, entre as quais se encontrava a concessão do direito ao voto para as mulheres.[78]

---

[78] A mesma explicação para a escolha da data de 19 de março pode ser encontrada na obra de Joyce Stevens, *A History of International Women's Day*. Sydney: Southwood Press, 1985, p. 6.

Ainda que a comemoração tenha sido feita também na Dinamarca, Suécia e em outras nações europeias, os países que se empenharam mais nos preparativos para a comemoração foram Áustria e Alemanha. Na Alemanha, contraditoriamente, os preparativos não ficaram a cargo da responsável pela proposta [Clara Zetkin], cuja posição dentro da social-democracia já estava muito fragilizada, mas sim de sua sucessora, Luise Zietz. Nas semanas anteriores ao dia 19 de março, surgiram duas novas revistas que fariam eco aos planos de comemorar o Dia Internacional das Mulheres, *O voto das mulheres*, na Alemanha e *O Dia das Mulheres*, na Áustria. Os artigos ali publicados analisavam a questão da igualdade das mulheres no governo e na sociedade e enfatizavam a necessidade de tornar a vida parlamentar mais democrática, concedendo o voto às mulheres. Além dessas publicações, em todas as vilas e cidades dos dois países foram organizadas reuniões e manifestações, algumas das quais dispersadas pela polícia. Em Viena, as mulheres marcharam em torno do parlamento levando bandeiras vermelhas e lembrando as vítimas da Comuna de Paris. Aproveitando esta manifestação, os delegados socialistas no parlamento austríaco defenderam, pela primeira vez, a igualdade para as mulheres e seu direito ao voto. Em um acontecimento sem precedentes, as mulheres, aprisionadas ao lar, saíram à rua reivindicando seu direito mais elementar, enquanto os maridos ficaram em casa, cuidando da família.

O êxito da celebração do Dia Internacional das Mulheres superou todas as expectativas. Revelou-se como um excelente método de mobilização e de conscientização política entre as operárias, além de ser uma ótima ocasião para fortalecer os laços de solidariedade entre as trabalhadoras de todo o mundo. Contribuíram para isso as mensagens que as lideranças do movimento internacional de mulheres socialistas fizeram chegar a todas as operárias na ocasião de seu dia:

> Camaradas! Mulheres e jovens operárias! O 19 de março é seu dia. É seu direito. A social-democracia, os operários sindicalizados as apoiam. As mulheres socialistas de todos os países são solidárias à sua causa. Vocês devem ter lugar de honra no dia 19 de março. Vocês, que desempenham os trabalhos tanto

na cidade como no campo, participem da jornada socialista das mulheres! (*A igualdade*, n. 12, 1911. Citado em Côté, 1984, p. 140).

Nesses primeiros anos, o Dia Internacional das Mulheres foi festejado em datas diferentes segundo os países. Na Suécia, por exemplo, a primeira celebração não ocorreu no dia 19 de março, mas foi organizado coincidindo com o 1º de Maio e, no ano seguinte, com o dia 12 desse mesmo mês. Em 1913, as socialistas alemãs tiveram que convencer seus camaradas a permitir que elas comemorassem novamente o Dia Internacional das Mulheres, já que no ano anterior os atos programados não contaram com muita participação do público. Essa foi a desculpa utilizada para acabar com uma festividade em que as mulheres demonstravam sua independência e propunham, como alternativa, a organização de reuniões por causas específicas e somente quando fosse necessário. Apesar disso, Zetkin e Zietz uniram seus esforços e conseguiram comemorar o Dia Internacional das Mulheres no dia 2 de março, o mesmo dia escolhido na Rússia.

No ano de 1914, por proposta das alemãs, o Dia Internacional das Mulheres foi celebrado pela primeira vez no dia 8 de março na Alemanha, Suécia e Rússia. A única autora que se aventurou a dar uma explicação sobre a escolha dessa data foi Renée Côté, que apenas aponta como possibilidade o fato de que o mês de março estava carregado de conteúdo revolucionário – a revolução de 1848, a Comuna de Paris de 1871 – mas sem dar nenhum argumento sólido sobre o porquê deste dia em particular e não outro. Se existia ou não a intenção de perpetuar a data de 8 de março para celebrar o Dia Internacional das Mulheres, é algo que não podemos saber porque o estopim da Primeira Guerra Mundial frustrou a celebração nos países beligerantes. E as socialistas, traídas por seus partidos, partidários da participação na guerra – como ficou registrado na 3ª Conferência Internacional de Mulheres Socialistas (Berna, 1915) – empenharam todas as suas forças em lutar contra a guerra e em pedir o retorno à casa de seus esposos e filhos e o fim das calamidades que implicavam para a população civil uma guerra dessas dimensões.

O Dia Internacional das Mulheres e a Revolução Russa: duas histórias paralelas

Alexandra Kollontai e o movimento russo de mulheres proletárias, 1905 -1917

Antes de seguir adiante, é preciso uma reflexão sobre a realidade na qual viviam as mulheres na Rússia, antes da Revolução de Outubro. A sociedade russa anterior a 1917 era camponesa e patriarcal, com uma clara hierarquia de classes, em cuja direção estava o tsar, que considerava o Estado como um patrimônio pessoal e os seus súditos como filhos obedientes. Nesse regime autoritário, as mulheres tinham, como única alternativa, o matrimônio, o serviço doméstico ou a prostituição. Leis rígidas faziam com que o divórcio fosse algo praticamente impossível de ser obtido e proibiam as mulheres de trabalhar, estabelecer sua residência ou viajar sem a permissão do marido ou, na sua ausência, de seu pai. As mulheres das classes privilegiadas tinham mais conforto e uma melhor educação do que as operárias e as camponesas, mas não gozavam de maiores liberdades. Diferentemente das suas irmãs europeias e estadunidenses, não tinham livre acesso a organizações legais a partir de onde poderiam fazer ouvir suas vozes, fazendo com que muitas se vissem obrigadas a atuar na clandestinidade e, inclusive, irem para o exílio.[79]

O crescimento da indústria na Rússia, desde a década de 1890, fez com que o proletariado do país fosse fortemente ampliado,

---

[79] Entre os membros da *intelligentsia* desenvolviam-se, desde a década de 1860, doutrinas contra a autoridade do tsar, nas quais as mulheres dessa classe social, privadas de participação na vida política, desempenharam um papel importante. As mais influentes foram: o niilismo, contrária às velhas formas de governo, especialmente aquelas que exigiam obediência e aceitação passiva; e o populismo, que lutava para derrubar o tsarismo e introduzir alguma forma de governo popular. Para um estudo mais profundo sobre a condição das mulheres russas anteriormente à revolução, recomenda-se a leitura da obra de Barbara Clements, Barbara Engel e Cristine Worobec (Eds.). *Russian Women: Accommodation, Resistance, Transformation*. Berkeley: University of California Press, 1991 e a obra de David Ransel, (ed.). *The family in Imperial Russia*. Illinois: University of Illinois Press, 1978. Também se sugere a leitura do romance de Leon Tolstói, *Ana Karenina*. Madrid: Cátedra, 1994.

convertendo-se, como no resto dos países europeus, no alvo a ser conquistado pelos social-democratas, com suas mensagens de solidariedade e luta de classes. Dentro das filas do proletariado, se encontrava um número importante de mulheres que, também como em outros países de economia capitalista, sofriam uma dupla exploração: por serem trabalhadoras e por serem mulheres.

Desde o início do século 20, o livro de Bebel, *A mulher e o socialismo* (1879) já era bem conhecido nos círculos social-democratas russos, mas nenhum autor russo havia tratado da questão da mulher sob um ponto de vista marxista, até que Nadezhda Kruspskaia, esposa de Lenin, publicou *A mulher trabalhadora* (1900). Esta obra de formato pequeno, embora deva muito a Bebel e a Zetkin, é uma obra genuinamente russa. Mostra um panorama sombrio, conformado pela camponesa explorada pelo latifundiário, e pela operária alienada na fábrica ganhando um salário ínfimo e sem nenhum tipo de proteção no trabalho. A autora transmitia a mensagem já conhecida de que a libertação de toda a classe trabalhadora seria alcançada quando a revolução socialista triunfasse e, para isto, era necessário que as mulheres participassem da luta, ombro a ombro com os homens. Essa obra alcançou uma grande difusão na Rússia – foi inclusive distribuída clandestinamente durante alguns anos – porque era a primeira no país que tratava, de um ponto de vista marxista, da questão da mulher, que até então não havia sido estudada com muito interesse pelo Partido Social-Democrata Russo. Neste mesmo ano, a publicação do partido, *Iskra* [*Centelha*], começou a publicar artigos sobre as condições das operárias, para conscientizar as mulheres da necessidade de participar da luta política e modificar essa realidade.

A mulher que liderou o movimento proletário de mulheres russas de 1905 a 1908 foi Alexandra Kollontai (1872-1952). Nascida em São Petersburgo, no seio de uma família de classe alta, seu pai, Mikhail Dommantovich, era um destacado oficial do exército. Desde sua infância mostrou intenção de não viver como o resto das mulheres de sua classe, nem em seu comportamento nem em sua aparência física (chegou a cortar os cabelos e passear pelas ruas vestida à maneira "masculina"). Em 1878, a família se mudou para Sófia (Bulgária), para onde seu pai foi transferido. A pequena *Shura* – apelido carinhoso com que seus pais a chamavam – completou seus estudos até receber o título de professora, em 1888. Desejava continuar sua formação nos cursos *Bestuzhev*[80], em São Petersburgo, mas a sua mãe, temerosa pela fama de instituição radical, não permitiu que fosse para ali. Em lugar disso, continuou com estudos particulares, graças aos quais conheceu o engenheiro Vladimir Kollontai, por quem rapidamente se sentiu atraída desejando casar-se com ele com a maior brevidade possível. Seus pais, contrários ao matrimônio, enviaram-na para estudar no estrangeiro, essa viagem serviu para que pudesse entrar em contato com as teorias marxistas, pois teve oportunidade de ler e estudar Marx e Engels, toda a literatura da Revolução Francesa e a dos socialistas utópicos. De volta à Rússia, seus pais descobriram que esta viagem, na verdade, acabou por piorar as coisas, e então a autorizaram a casar-se com seu prometido, casamento que aconteceu em 1893, quando Alexandra tinha 21 anos. Essa união, da qual nasceu um filho, durou somente cinco anos, pois os interesses de Alexandra e de seu marido eram cada vez mais opostos. Aborrecida com os afazeres domésticos e cada vez mais ocupada com o estudo das condições das trabalhadoras, que conheceu de perto devido às greves das empregadas na produção de charutos e do setor têxtil de 1896, seus desejos de liberdade levaram-na a abandonar seu marido em 1898.[81]

Neste mesmo ano se uniria ao Partido Social-Democrata Russo, dentro do qual estava alinhada ao grupo dos Mencheviques, no qual permaneceu quando ocorreu a divisão do partido em 1903. A razão que a levou a unir-se aos social-democratas, segundo Beatrice Farnsworth (1978), era sua convicção de que o socialismo era o meio mais seguro para alcançar a emancipação

---

80 Primeira instituição de educação superior para mulheres na Rússia tsarista. (N.T.)

81 As biografias mais completas de Alexandra Kollontai são as escritas por Cathy Porter: *Alexandra Kollontai. The lonely struggle of the women who defied Lenin*. New York: The Dial Press, 1980 e *Alexandra Kollontai: A biography*. Londres: Virago, 1980.

das mulheres. Negava a premissa feminista de que as mulheres formassem um grupo separado e que estivessem unidas por laços especiais. Insistia que, como os homens, estavam divididas em classes. Punha ênfase na necessidade de uma reforma social para acabar com a situação doméstica e marital em que vivia escravizada a população feminina. Entretanto, quando aconselhou o partido a criar um setor especial dedicado ao trabalho com as mulheres, sua ideia foi descartada porque os líderes do partido viam nisso o perigo divisor do feminismo, que levaria as trabalhadoras a se unirem às burguesas, esquecendo seus interesses de classe.

Nos três anos seguintes, ela passou quase todo o tempo na Europa, onde, além de se matricular na Universidade de Zurique para estudar Economia, conheceu líderes políticos importantes como Rosa Luxemburgo e Kautsky.

Na Rússia, seu primeiro contato com a atividade revolucionária foi durante o "Domingo sangrento" (9 de janeiro de 1905), que desencadeou a revolução de 1905. Decidiu participar da marcha dos camponeses e operários até o Palácio de Inverno para apresentar as reivindicações ao tsar. Essa atividade a levou a converter-se em uma completa revolucionária – distribuir panfletos, recolher dinheiro, fazer comícios ilegais nas portas das fábricas etc. A ação do tsar de mandar disparar contra os manifestantes foi seguida de uma série de revoltas e motins, que o obrigaram, através do manifesto de 17 de outubro, a introduzir reformas. Entre elas, a concessão de liberdades civis e a extensão do direito ao voto a todas as classes. Além da criação de uma Assembleia Legislativa (Duma) que, embora representasse um importante retrocesso do poder autocrático, acabou tendo um papel limitado na vida política do país. De fato, a revolução de 1905 mudou muito pouco o *status* das mulheres, como afirma Richard Stites:

> Em termos de resultados concretos, a revolução de 1905-1907 trouxe pouco às mulheres russas, salvo conscientização e experiência organizativa. Sua posição legal não se alterou nem um pouco (...). Nem foi reconhecida como cidadã, nem lhe foi garantido nenhum direito como ser humano (Richard Stites, 1990, p. 210).

Em abril desse mesmo ano, aconteceu em São Petersburgo a conferência da recém-criada organização feminista União para a Igualdade das Mulheres. Seu programa reivindicava o sufrágio direto, secreto e universal, sem distinção de sexo, nacionalidade ou religião, igualdade para homens e mulheres perante a lei, regulamentações para garantir proteção para as operárias e a coeducação em todos os níveis.[82] Em menos de um mês, a União conseguiu colocar de pé toda uma estrutura organizativa e organizar um congresso em que participaram mais de mil mulheres, entre as quais se encontrava uma importante porcentagem de operárias e camponesas. Foi nesse congresso que pela primeira vez Alexandra se deu conta da necessidade de organizar, sob as asas do partido social-democrata, um movimento forte de mulheres proletárias. O objetivo era que estas não fossem seduzidas pelo movimento feminista burguês, opinião que reafirmou depois de participar da 2ª Conferência Internacional de Mulheres Socialistas.[83]

Os frutos do seu trabalho puderam ser vistos quando, em 1908, por iniciativa das feministas burguesas, foi organizado o 1º Congresso de Todas as Mulheres Russas, com o objetivo de tentar reunificar o movimento de mulheres russas, superada a crise da

---

82 O movimento feminista russo, que tem suas raízes na década de 1860, se envolvera em trabalhos de caridade, contra a prostituição e a favor do desenvolvimento da educação. A primeira organização que foi criada em escala nacional foi a Sociedade Mútua Filantrópica das Mulheres Russas, presidida por Anna Filosifova e Anna Shabanova. Organizado como um clube de mulheres, no estilo americano, e integrado por mulheres da nobreza, viúvas de oficiais do exército e membros da *intelligentsia*, apesar das dificuldades com as quais se enfrentaram desde sua fundação em função do fechamento do governo, encontravam uma forma de trabalhar em ações de caridade e na expansão da educação e da cultura entre as mulheres. Após o episódio revolucionário de 1905, as mulheres liberais, cansadas das atividades de caridade, criaram duas novas organizações feministas, a União pela Igualdade das Mulheres e o Partido das Mulheres Progressistas, para reivindicar o voto para as mulheres.

83 Richard Stites (1990) divide o movimento de mulheres proletárias russas em duas etapas. A primeira, de 1905 a 1908, se caracterizava por respostas mais ou menos espontâneas aos avanços das feministas. A segunda, de 1913 a 1917, era supervisionada desde o exterior por mulheres como Inês Armand e Kruspskaia. Tratava-se já de uma atividade dirigida pelo Partido Bolchevique, cujo líder, V. I. Lenin, havia se manifestado desde a divisão do Partido Social-Democrata Russo, em 1903, em bolcheviques e mencheviques, partidário da causa pela igualdade das mulheres e contra qualquer solução para o problema a partir da perspectiva das feministas.

revolução de 1905. A ideia em que se apoiavam para tal iniciativa era a de que toda mulher que desejasse a igualdade, qualquer que fosse sua classe, seu nível de riqueza ou de educação, deveria ser considerada feminista. O feminismo não reconhecia classes, era uma ideia que fazia igual a todas as mulheres. Entre as quase mil delegadas que participaram do congresso, Kollontai conseguiu enviar uma notável delegação de trabalhadoras, previamente instruídas, munidas de uma resolução elaborada por ela, que deveriam ler ao final do evento. Nela, se opunham à criação de um movimento feminista integrado pelas mulheres de todas as classes sociais, defendiam a consolidação de um movimento de proletárias e reivindicavam o sufrágio universal. Poucos dias antes de acabar o congresso, Alexandra teve que fugir, perseguida pela polícia, devido a suas atividades revolucionárias.

Além das suas atividades de organização entre as trabalhadoras, em 1908 publicou sua obra *As bases sociais da questão da mulher*. Nela apresentava uma história das mulheres na Rússia e no Ocidente de uma perspectiva marxista, criticava a família moderna e atacava as feministas por serem incapazes de entender os problemas das trabalhadoras e dar-lhes uma solução. Entretanto, não explicava como fora possível que ocorressem casos como o dela, que, tendo nascido no seio de uma família de classe alta, se converteu em revolucionária, o que custara a crítica das mulheres de sua classe, que a acusavam de tê-las traído.

Analisando a imagem da "nova mulher" que desenhou em seu panfleto *A nova mulher* (1914), entenderemos que não existira tal traição, pois a ideia de mulher com a qual Alexandra sonhava, que nasceria quando triunfasse a revolução, era totalmente diferente do ideal que as integrantes das classes altas russas e ocidentais poderiam sequer imaginar. Ela sustentava que a mulher deveria forjar sua personalidade e sua posição na sociedade não por meio de sua união matrimonial com um homem, mas por meio do seu trabalho, que lhe permitiria ser independente e não estar atada por nenhum tipo de contrato. A nova mulher era definida, segundo suas próprias palavras, nos seguintes termos:

> A nova mulher é essencialmente uma unidade de trabalho independente, cuja energia é usada não para servir aos interesses de uma economia privada familiar, mas para transformar um trabalho socialmente útil e necessário. Está sendo libertada dessas características morais interiores, que marcaram a mulher do passado. Trivialidade feminina, conservadorismo e ideias restritas, inveja e malícia em relação a outra mulher, que vê como rival na caça por um sustentador – todas essas características não são mais necessárias na esfera onde está agora lutando para sobreviver (Kollontai, *in*: Dahzina, 1984, p. 181).

Ela escreveu também sobre o matrimônio, que, segundo seus princípios, devia adotar a forma de uma relação entre iguais, uma "união entre camaradas", e os casais de fato deviam ser considerados tão legais como os de direito. Essas concepções, baseadas na sua convicção de que a mulher não necessitava ser protegida nem mantida por um marido, não foram bem acolhidas nem pelos comunistas mais antigos, que a acusaram de pregar a prática das relações sexuais sem nenhum tipo de restrição.

Apesar de Kollontai ter participado da 2ª Conferência Internacional de Mulheres Socialistas, de integrar o Secretariado Internacional de Mulheres e ser colaboradora do *A Igualdade*, a comemoração do Dia Internacional das Mulheres não aconteceu na Rússia até 23 de fevereiro (8 de março no calendário ocidental) de 1913. Um artigo de Kollontai publicado no *Pravda* (ver anexo – documento n. 3) estimulava as trabalhadoras a organizar manifestações para protestar contra a falta de direitos políticos e econômicos em que viviam para celebrar o Dia Internacional das Mulheres. O ato principal foi o encontro celebrado no edifício da bolsa Kalashnikovsky de São Petersburgo. Para que fosse autorizado pela polícia, teve que ser convocado sob o tema "Manhã científica dedicada à questão da mulher". Apesar disto, diante do tom pouco científico que estava adquirindo o encontro, foi dissolvido pelas força de segurança que fizeram algumas prisões. Atos parecidos ocorreram nas cidades de Kiev, Samara e Tíflis.

É interessante se deter nas análises do artigo citado, pois Kollontai revela certos aspectos que nos indicam a chave do que de agora em diante seria o Dia Internacional das Mulheres. Em primeiro lugar, afirmava a conexão inquebrantável desta festividade com o movimento de mulheres proletárias; não se tratava de uma celebração de todas as mulheres, mas somente das da classe operária. E sua razão de ser não era outra que servir de meio para mobilizar as massas de trabalhadoras, que necessitavam de mecanismos especiais para fortalecer sua consciência de classe, adormecida pela exploração que sofreram durante séculos. Era preciso que elas vissem que tinham que se unir ao movimento operário, que, por sua vez, precisava delas para alcançar sua meta, o triunfo da revolução socialista. Portanto, frente às críticas daqueles que, ainda dentro do partido, se opunham a tal celebração por considerá-la uma concessão à causa das feministas e um enfraquecimento do movimento operário, o Dia Internacional das Mulheres serviria para fortalecer a unidade da classe operária. Por isto o chamamento com que a autora termina o artigo:

> Desejamos que um sentimento alegre de servir à causa comum da classe e de lutar simultaneamente pela emancipação feminina inspire as mulheres trabalhadoras a se unir na celebração do "Dia das Mulheres" (Kollontai. *Pravda*, 17 de fevereiro de 1913, *in*: Dahzina, 1984, p. 65).

Ao recordar esta data, dez anos mais tarde, Kollontai destacaria, por um lado, que havia sido um exemplo para os operários do resto do mundo as mulheres russas, desafiando a autoridade tsarista, terem sido capazes de mostrar suas reivindicações celebrando o Dia Internacional das Mulheres. E que havia sido também, por outro lado, um sinal de que a Rússia estava despertando e de que "as prisões tsaristas e as forcas não tinham o poder de matar o espírito de luta e de protesto dos trabalhadores".[84]

Devido ao êxito da comemoração, o Partido Bolchevique decidiu criar uma revista especial dedicada à formação e mobilização das trabalhadoras e das esposas dos operários. Nascia assim a *Rabotnitsa* (Mulher Operária), que tinha três grupos de mulheres na sua direção. Encabeçando o grupo de Petrogrado[85]

---

84 Kollontai, 1982, p. 10.

85 Petrogrado era o nome da capital da Rússia, a partir de 1914, anteriormente chamada São Petersburgo. Após a morte de Lenin foi rebatizada de Leningrado. Na década de 1990 voltou a se chamar São Petersburgo. No texto foram mantidos os nomes como referidos pela autora. (N.T.)

estava a irmã de Lenin, Anna Elizarova; no grupo da Croácia, sua esposa, Krupskaia e Lilina Zinoveva; e no de Paris, Inês Armand.[86] A publicação do primeiro número da revista coincidiu com a celebração do Dia Internacional das Mulheres, em 23 de fevereiro de 1914. Esta publicação, assim como a celebração do 8 de março, passou a ser um símbolo do Partido Bolchevique que, sabendo que as mulheres eram fundamentais para fazer triunfar a revolução, devia mobilizar as operárias e conscientizá-las politicamente, com o objetivo de envolvê-las no processo revolucionário. Apesar disto, *Rabotnitsa* deixou de ser publicada em junho do mesmo ano, quando o grupo editorial que se encontrava na capital foi preso.

Kollontai foi a mais ativa propagandista na Rússia contra a Primeira Guerra Mundial, acontecimento que a levou ao bolchevismo, resultado da desilusão que sofreu com o apoio dado pelos mencheviques e por toda a social-democracia europeia à guerra. Expressou seu rechaço à guerra no panfleto *Quem precisa da guerra?*, de 1916. Durante o conflito, atuou como propagandista de Lenin na Suécia, Dinamarca e Noruega. No final de 1915 e começo de 1916, visitou mais de 80 cidades dos Estados Unidos. Essa experiência lhe serviu para reafirmar sua oposição ao movimento feminista burguês.

Em 1916, apesar da Primeira Guerra Mundial, de maneira mais discreta a Rússia comemorou o Dia Internacional das Mulheres, dedicado a protestar contra a guerra. Foram as mulheres do Partido Bolchevique que, em razão dessa celebração, afixaram pela cidade a seguinte declaração em nome do comitê do partido em Petrogrado:

> Companheiras, mulheres trabalhadoras! Este é o dia de nossa solidariedade. O dia em que as mulheres trabalhadoras, rompendo seus antigos laços de submissão, escravidão e humilhação, orgulhosamente se unem às fileiras do proletariado internacional para a luta contra o inimigo comum – o capital. Mulheres trabalhadoras! O governo enviou nossos filhos para serem crucificados pelo capital. Portanto, construam suas próprias organizações, unam-se na oficina e na fábrica, no escritório e na loja, e riam na cara do insaciável

86 Kollontai não se encontrava entre elas porque ainda pertencia à fração menchevique.

> capital! Basta de sangue! Abaixo a guerra! Levemos a autocracia criminosa aos tribunais! (Citado em Stites, 1990, p. 287).

A Revolução Russa de 1917: a construção de um sonho

A Revolução de Outubro de 1917 foi a primeira oportunidade histórica para colocar em prática as teorias socialistas sobre a revolução proletária, o fim do capitalismo e, desse modo, a conquista da libertação para todos os que até então viviam oprimidos pelo regime capitalista. No entanto, apesar da convocação que os socialistas faziam às trabalhadoras para que se unissem à causa, que também era delas, não veremos as mulheres durante o processo revolucionário formando parte da executiva dos partidos ou dos sindicatos. Apareceram atuando somente nas ruas, como agitadoras, conspiradoras, insurgentes e como protagonistas de acontecimentos concretos, como foi o motim iniciado pelas operárias no dia 23 de fevereiro, que colocaria em marcha o processo revolucionário, e a defesa do Palácio de Inverno, por parte do Batalhão de Mulheres, acontecimento que colocou um ponto final a esse processo [ao governo provisório de Kerenski].[87]

Os acontecimentos de 23 de fevereiro de 1917 são importantes, não só porque deram origem à revolução e porque foram protagonizados por mulheres, mas também porque, como tudo parece apontar, esses acontecimentos foram os que fizeram que o Dia Internacional da Mulher passasse a ser comemorado, sem mais alterações de data até hoje, no dia 8 de março.

Segundo todas as fontes, os fatos começaram no dia anterior, quando os operários da fábrica de armamentos de Putilov a encontraram fechada no momento em que tentaram entrar para começar sua jornada de trabalho. As mulheres de Petrogado, que tinham se convertido em chefes de família enquanto os homens estavam na frente de guerra, cansadas da escassez e dos altos preços dos alimentos, saíram às ruas. A elas imediatamente se uniram as *soldatki* – esposas, filhas e irmãs dos soldados. E,

---

[87] O ritmo dos acontecimentos foi narrado por John Reed em sua obra *Os dez dias que abalaram o mundo*.

à medida que percorriam as ruas, o número aumentava com as donas de casa que faziam fila para buscar sua ração de pão, com as operárias das oficinas e das fábricas, até chegarem ao oeste da cidade, onde se acantonaram sobre as pontes do rio Neva. No dia seguinte, o número de mulheres nas ruas chegou a mais de 190 mil. Manifestavam-se cantando as palavras de ordem "Pão! Nossos filhos estão morrendo de fome!", lançando pedaços de gelo e pedras contra a polícia. No entanto nem os soldados nem os cossacos[88] estavam dispostos a abrir carga contras as mulheres, que os convidavam a abandonar as armas e unir-se a elas. Em 10 de março a greve já era geral. No dia 12, os revolucionários constituíram o *Soviete* (Conselhos dos Operários) de Petrogado, que passou a ser o centro de coordenação do levante operário. Dois dias mais tarde foi criado um Governo Provisório, e no dia 17 de março, com o exército ao lado dos revolucionários, o tsar Nicolau II renunciou e a Rússia se converteu em uma república.

O correspondente do *New York Times* em Petrogado enviou o seguinte telegrama que o jornal publicou no dia 11 de março:

> O problema de abastecimento de comida da capital da Rússia chegou a provocar uma crise. Petrogrado está particularmente mal situada nos confins do império, em uma região incapaz de produzir pão e, portanto, completamente dependente das estradas de ferro para as necessidades da vida diária. As necessidades militares absorvem a maior parte da atividade ferroviária e o tráfego de guerra naturalmente tende a aumentar, e não diminuir, conforme o tempo passa. O povo enfrentou, sem se desanimar, todas as dificuldades para conseguir comida durante o longo inverno. No entanto, ultimamente, tem se observado, em certos bairros de gente humilde da cidade, o fenômeno da escassez de alimentação básica, a saber, o pão negro russo. (...) Na quinta-feira, numerosas mulheres e homens jovens fizeram uma manifestação pacífica contra a má organização no abastecimento dos alimentos. Um movimento semelhante foi observado em certos bairros da cidade ontem. Na noite passada, foi convocada uma reunião extraordinária com a presença de ministros, representantes das duas câmaras legislativas, o governo municipal e outras instituições públicas para discutir medidas com o objetivo de aliviar o alarme público. (...) Desde ontem a rua estava cheia de gente, embora Petrogrado esteja fortemente patrulhada por cossacos e

[88] Os cossacos formavam um regimento especial do exército. (N.T.)

> polícia montada. A maior parte da multidão, incluindo muitas mulheres, ficava na rua observando aqueles que criavam problemas. A atmosfera generalizada de excitação é como uma festa com trovoadas no ar. (...) As relações extremamente boas entre o povo e os cossacos continuam. A multidão frequentemente saúda os soldados (*The New York Times*, 11 de março de 1917. Primeira página. Microfilme).

A questão que devemos esclarecer agora, e a respeito da qual não há total unanimidade, é se o ato de protesto protagonizado pelas mulheres foi espontâneo ou se, como nos anos anteriores, estavam simplesmente celebrando nessa data o Dia Internacional das Mulheres segundo as orientações do Partido Bolchevique.[89]

Essa questão é relevante porque se trata de precisar se o Dia Internacional das Mulheres coincidiu com o início da Revolução Russa de 1917 ou, ao contrário, se o Dia Internacional da Mulher é celebrado no dia 8 de março porque nessa data se iniciou o processo revolucionário que culminaria com o êxito da revolução. Vejamos duas versões do que sucedeu nessa data. Alexandra Kollontai escreveu:

> O Dia das Mulheres de 1917 tornou-se memorável na história. Nesse dia as mulheres russas ergueram a tocha da revolução proletária e incendiaram todo o mundo. A revolução de fevereiro se iniciou a partir desse dia (Kollontai, 1982, p. 11).

O sociólogo russo Pitirim Sorokin, que durante a Revolução Russa foi secretário pessoal de Kerenski, escreveu em seu diário:

> Se os historiadores futuros buscam o grupo que começou a Revolução Russa, não os deixemos criar nenhuma teoria própria. A Revolução Russa foi iniciada por mulheres e crianças famintas que reivindicavam pão e arenques. Começaram atacando os bondes e saqueando pequenas lojas. Somente depois, junto aos operários e políticos, cresceu nelas a ambição de destruir esse poderoso edifício que era a autocracia russa (Pitirim Sorokin, *Leaves from a Russian Diary*. Boston, 1950, p. 3. Citado em Stites, 1990, p. 290).

---

89 Devemos lembrar, no entanto, que a seção de mulheres do Partido Bolchevique deixou de existir quando o corpo editorial de *Rabotnitsa* foi preso em 1914 e, por essa razão, o partido não podia contar com esse instrumento editorial para fazer chegar às mulheres as suas palavras de ordem.

Richard Stites resolve essa questão adotando a seguinte postura:

> A questão que interessa em tudo isso para os historiadores do movimento de mulheres não é realmente "se" ou "em que medida" as mulheres de Petrogrado contribuíram para a queda da autocracia, ou mesmo até que ponto estavam influenciadas pela propaganda bolchevique ou não, mas sim: quem, à luz desses acontecimentos, percebeu o potencial revolucionário das operárias e das esposas dos soldados? Quem atendeu a suas necessidades imediatas? Quem foi capaz de dispor de sua lealdade na sequência fatal dos acontecimentos revolucionários que ali tiveram lugar? (Stites, 1990, p. 291).

Quem, sem dúvida, soube aproveitar o potencial revolucionário das mulheres foram os bolcheviques, que não tinham competidores na hora de organizar as operárias e de espalhar entre elas sua propaganda revolucionária. Tanto é assim que, em março de 1917, o Comitê de Petrogrado do Partido Bolchevique decidiu criar um Secretariado de Mulheres Trabalhadoras, vinculado ao partido, que em apenas dois meses conseguiu criar comissões, secretarias e planos de mobilização para as cidadãs de Petrogrado. Colocava-se em marcha, desta maneira, a segunda etapa do movimento de mulheres proletárias russas, cujo segundo êxito foi a retomada da publicação *Rabotnitsa*, dirigida por A. Vasileva. A revista chegou a alcançar uma tiragem de mais de 40 mil exemplares, publicando artigos sobre a guerra, os altos preços e as condições de trabalho. Para que a mensagem bolchevique pudesse alcançar todas as mulheres e transformá-las em agitadoras, inclusive as analfabetas, as editoras da revista iam pessoalmente às fábricas para ler seus artigos diretamente para as operárias. As operárias podiam, sem nenhuma dificuldade, se identificar com a mensagem que chegava até elas, em que os protagonistas eram crianças famintas, um marido na frente de guerra e, como pano de fundo, a contraposição entre os bolcheviques, que queriam a paz, e os capitalistas, que se beneficiavam com a guerra.

No dia 25 de outubro de 1917 (segundo o calendário ocidental) eclodiu a Revolução Russa, com o grito de "Todo poder aos sovietes" e com um programa que contemplava a paz imediata com as potências centrais, a redistribuição da terra aos camponeses, a entrega das minas, fábricas e outras instalações industriais dos capitalistas aos comitês dos operários e o reconhecimento dos sovietes como poder supremo. Foi formado um Conselho de Comissários do Povo, presidido por Lenin, que substituiu o Governo Provisório.[90]

Os bolcheviques, desde março de 1918, passaram a denominar--se comunistas. Mesmo marcados pelos enfrentamentos internos e pela intervenção das forças estrangeiras anticomunistas, desenvolveram nos primeiros anos de governo todo um programa de atuação para melhorar a condição social, econômica, jurídica e educativa das mulheres, no entanto, apesar de terem se valido delas para fazer triunfar a revolução, não colocaram as mulheres em postos de poder. Com exceção de Alexandra Kollontai, que era membro do Comitê Central do Partido quando eclodiu a revolução. Foi a primeira e única mulher a ocupar um posto ministerial ao ser nomeada ministra de Bem-Estar Social. Foram decretadas leis, códigos e reformas que proclamaram a igualdade dos sexos em todos os aspectos.[91] Todas as instituições de ensino foram abertas às mulheres. Dentro do casamento, as mulheres passaram a gozar do mesmo *status* que seus maridos, incluindo o direito de conservar seus nomes, de solicitar o divórcio, de disputar legalmente suas heranças e propriedades, de possuir passaporte e fixar sua residência. Ao separar a Igreja do Estado, os comunistas invalidaram os princípios teológicos que restringiam a participação da mulher na vida social. O aborto foi legalizado em 1920 e a prostituição foi declarada ilegal. Aprovou-se o direito de receber igual salário por igual trabalho, licença maternidade paga e se proibiu às mulheres exercer os trabalhos mais pesados, o trabalho noturno e horas extras.

---

90 Um dos trabalhos mais completos sobre a Revolução Russa de 1917 é a obra de Edward H. Carr, *Historia de la Revolución Soviética*, Madrid: Aliança, 1972-1984. Também recomenda-se a leitura do trabalho de Marc Ferro, *La Revolución Rusa de 1917*. (Madrid: Villalar, 1977).

91 O direito ao voto das mulheres russas foi reconhecido em 20 de julho de 1917, graças ao trabalho das feministas, pelo Governo Provisório, tornando a Rússia o primeiro país beligerante a aprovar o sufrágio universal feminino.

Para coordenar todo esse trabalho relacionado com a mulher foi necessário criar, em 1919, um Departamento da Mulher do Partido Comunista, organismo que ficaria conhecido pela abreviatura de seu nome russo (*Zhenskii otdel*), *Zhenotdel*, e que tinha a missão de fazer da prometida libertação da mulher uma realidade.[92] Sua primeira diretora foi Inês Armand, que ocupou o cargo até a sua morte em 1920. Para sucedê-la foi eleita Kollontai, que se manteve à frente até 1922, ano em que caiu em desgraça devido a sua participação no Movimento de Oposição Operária. Em seu panfleto *A oposição operária,* manifestava sua crença de que as relações interpessoais entre os trabalhadores gerariam mais produtividade do que a conseguida mediante o crescente centralismo, autoritarismo e burocratização que estava se apossando do partido. Diante do perigo que suas ideias representavam para a unidade dos comunistas, foi afastada do seu cargo e enviada à Noruega em uma missão diplomática menor. Posteriormente, quando sua posição no partido já estava muito enfraquecida, tornou-se a primeira mulher embaixadora da história, ocupando a embaixada soviética na Suécia, de 1930 a 1945.

Os escritórios centrais do *Zhenotdel* ficavam em Moscou, cidade que havia se transformado na capital do novo Estado, mas sua atividade chegava a todas as mulheres russas. A diretora, responsável por sua gestão perante o partido, buscava estabelecer as medidas para melhorar a qualidade de vida das mulheres, não somente no aspecto político, mas também em tudo o que se relacionava às suas funções de mãe e trabalhadora. Deste modo, promoveu a fundação de instituições para o cuidado das crianças, a criação de orfanatos, supervisionava a distribuição de alimentos,

---

92 O antecedente de *Zhenotdel* foi o Congresso de Todas as Mulheres Russas, organizado em 1918 por iniciativa de Kollontai e contando com a aquiescência de Lenin, sempre que não fosse uma semente para o nascimento de um movimento feminista separado do partido. Nele, foi apresentado um programa que incluía a perspectiva de ganhar o apoio das operárias para o poder soviético, estabelecer mecanismos para liberar as donas de casa da escravidão do trabalho doméstico, proteger o trabalho feminino e a maternidade e acabar com a prostituição. Esta foi a primeira manifestação do interesse que tinham alguns líderes do Partido Comunista de impulsionar a libertação das mulheres.

o funcionamento das escolas, da saúde pública etc. Os materiais impressos continuavam sendo o mecanismo mais efetivo para fazer chegar às mulheres as atividades do *Zhenotdel*. Por essa razão, além da *Rabotnitsa,* foi criada a publicação *Kommuniska* (*Mulher Comunista*), dirigida por Krupskaia. Para as analfabetas, continuava-se com a técnica de fazer reuniões nas fábricas, organizar sessões de leituras etc. E para comprometer ainda mais as mulheres na construção de sua libertação, as próprias operárias elegiam uma representante que seria sua delegada no *Zhenotdel* durante um período de três a seis meses.

Toda essa atividade revolucionária em favor da libertação da mulher estava respaldada pela postura que adotou o líder da revolução, V. I. Lenin (1870-1924) sobre esse tema. Suas reflexões podem ser conhecidas através de seus escritos em *Mulheres e sociedade* (*Women and Society*)[93] e pelas conversas que manteve sobre esse tema com Clara Zetkin, que, como lembramos, passou os últimos anos de sua vida em Moscou. Lenin considerava primordial o papel da mulher na revolução, a ponto de admitir que não haveria revolução socialista possível a menos que uma grande proporção de mulheres tomasse parte nela. E uma vez que ela fosse vitoriosa, o apoio das mulheres à causa era essencial para que a revolução pudesse se desenvolver. Tanto que confidenciou a Zetkin a necessidade de criar um movimento de mulheres comunistas com caráter internacional para fazer triunfar a revolução em todo mundo: "Devemos criar um poderoso movimento de mulheres comunistas, alicerçado em uma clara base teórica (...). Deve haver uma diferença nítida entre nós e o resto dos partidos" (Clara Zetkin. 1934, p. 41).

Para alcançar esse objetivo, era de vital importância preparar as mulheres. Nesse ponto, Lenin sustentava que não necessitavam, em princípio, de organizações especiais fora do Partido Comunista

93 No Brasil, foi publicada coletânea dos escritos de Lenin sobre o assunto com o título: *Sobre a emancipação da mulher*. São Paulo: Alfa-Omega, 1980. Vários textos estão também disponíveis em http://www.marxists.org/portugues/tematica/livros/soc_eman_mulher/index.htm (N.T.)

porque dentro dele já tinham os mesmos direitos e obrigações que os homens. Mas note-se que, sim, reconhecia que o partido devia ter organismos especiais voltados para demonstrar às operárias e camponesas a necessidade de unir-se ao Partido Comunista:

> Não às organizações especiais para as mulheres. Uma mulher comunista é um membro do partido, da mesma forma que é um homem comunista, com os mesmos direitos e deveres. (...) No entanto, não devemos fechar nossos olhos ao fato que devemos ter organismos, grupos de trabalho, comitês, secretarias, o que você quiser, cujo dever principal é despertar as massas de trabalhadoras, para colocá-las em contato e mantê-las sob sua influência. Isso, obviamente, implica trabalho sistemático entre elas. Devemos formar aquelas que despertamos e ganhamos e equipá-las para a luta proletária sob a liderança do Partido Comunista. (...) Necessitamos de organismos apropriados para continuar o trabalho entre elas, métodos especiais de agitação e formas de organização. Isso não é feminismo, isso é conveniência prática revolucionária (Zetkin, 1934, p. 53. Citado também em Stites, 1990, p. 341).

O motivo que as mulheres tinham para trabalhar pelo triunfo do comunismo era que só poderiam ganhar sua liberdade através dele. Não por acaso, o governo soviético, após o triunfo da revolução de 1917, foi o primeiro em todo o mundo a abolir todas as leis que negavam a igualdade completa da mulher com o homem em todos os aspectos. Essas reformas não haviam sido realizadas nas repúblicas burguesas ocidentais, que se faziam chamar democráticas, apesar da existência de movimentos de libertação femininos.

O trabalho no âmbito legislativo era o primeiro passo. O segundo, consistia em fazer com que as mulheres participassem ativamente da vida política e econômica. Mas para isso era necessário, primeiro, que se vissem livres do trabalho doméstico, que Lenin qualificava de mesquinho, estúpido e improdutivo pois não produzia bens de troca nem de consumo (para isso se construiriam restaurantes públicos, creches, lavanderias). Além de serem educadas e conscientizadas politicamente para poder intervir na vida pública.

Partindo desses pressupostos, não é de estranhar que, de acordo com os líderes da revolução, foi graças a ela que as mulheres russas alcançaram sua libertação. A partir desse momento, elas viram o reconhecimento de seus direitos políticos e de participação no processo produtivo, criando assim as condições para o nascimento da "nova mulher" de que falava Kollontai, independente, forte, decidida, que devia servir de exemplo ao resto das mulheres do Ocidente.

A comemoração do 8 de março: de festa revolucionária a Dia da Mãe

Dois anos depois do triunfo da Revolução Russa, se constituiu em Moscou a Terceira Internacional ou Internacional Comunista, com o objetivo primordial de estender o espírito revolucionário a todo o mundo. De fato, Lenin considerava a experiência bolchevique como um prólogo da revolução mundial, que não teria razão de ser se o seu exemplo não fosse seguido por outros países. O momento mais propício para assentar as bases desse projeto era o fim da Primeira Guerra Mundial, que havia criado um potencial revolucionário que não devia ser desperdiçado.

Foi no 3º Congresso da Internacional Comunista, realizado entre 22 de junho e 12 julho de 1921, que foram aprovados os princípios e táticas de trabalho a serem adotados entre as mulheres da classe proletária. Eles se fundavam na concepção de que a dissolução do sistema capitalista e da sociedade burguesa, causadores da opressão que sofria a classe trabalhadora, não seria conseguida se as mulheres não participassem da luta de maneira ativa. No entanto, se os partidos comunistas necessitavam das mulheres, estas eram conscientes de que só conseguiriam sua completa libertação se os partidos as apoiassem em sua empreitada. Eles se encarregariam, quando alcançassem o poder, de criar as condições necessárias para que as mulheres pudessem combinar o exercício de suas funções como mães e como membros ativos na vida política, econômica e social de seu país:

> O Terceiro Congresso da Internacional Comunista reafirma que a conquista do poder pelo proletariado (...) somente pode ser alcançada com a ativa participação das grandes massas de mulheres semiproletárias e proletárias. (...) Por outro lado, o congresso, mais uma vez, chama a atenção de todas as mulheres para o fato de que, sem o apoio dos partidos comunistas em todas as tarefas

> e iniciativas relacionadas à libertação e ao sufrágio das mulheres, essa tarefa é praticamente impossível de se alcançar. (...) Somente sob o comunismo será alcançada não só a igualdade formal, mas também a igualdade real das mulheres. Então, a mulher será a proprietária de direito, juntamente com o resto dos membros da classe operária, dos meios de produção e distribuição. Participará da direção da indústria e assumirá uma responsabilidade igual pelo bem-estar da sociedade (Teses e Resoluções do 3º Congresso da Internacional Comunista. Em *Thesis and Resolutions*, 1921, p. 156-157).

Igual à luta do proletariado, a luta das mulheres para se libertar da dupla opressão que sofrem, como trabalhadoras no sistema capitalista e como donas de casa, responsáveis por sua família, adquiria um caráter internacional. Em 1920, coincidindo com o 2º Congresso Internacional do *Comintern* [como era chamada a Internacional Comunista], foi organizada a 1ª Conferência Internacional de Mulheres Comunistas. Nela se decidiu pela criação do Secretariado Internacional de Mulheres Comunistas, cuja diretora, após a morte de Inês Armand, passou a ser Clara Zetkin e Alexandra Kollontai, sua subdiretora. Sua tarefa principal era educar as mulheres nos princípios do comunismo, inculcar-lhes uma forte consciência de classe e envolvê-las em todas as formas de luta política contra a exploração capitalista.

Coincidindo com o 3º Congresso Internacional do *Comintern*, com a participação de 82 delegadas vindas de 21 países diferentes, foi celebrada a 2ª Conferência Internacional de Mulheres Comunistas. Das decisões ali adotadas, a que nos interessa é a aprovada por iniciativa das delegadas búlgaras. A resolução apresentava a proposta de celebrar de maneira oficial o Dia Internacional das Mulheres no dia 8 de março, em lembrança ao 8 de março de 1917 (23 de fevereiro no calendário russo). O único testemunho que temos dessa resolução é o artigo publicado em *Komunistka*, em seu primeiro número de 1922. Nele fica explícito que o motivo da escolha do dia 8 de março para comemorar o Dia Internacional da Mulher, tradição ainda conservada, foi a lembrança do papel desempenhado pelas mulheres russas no início do processo revolucionário:

> Nestes tempos de entusiasmo acolhemos a proposta das nossas companheiras búlgaras e a resolução da 2ª Conferência Internacional das Mulheres Comunistas, em Moscou, de celebrar uniformemente o Dia Internacional da Mulher no dia 8 de março, dia em que o celebravam as companheiras russas. Os corações pulsavam de gozo, os olhares se levantavam em direção ao futuro e as vontades se reafirmavam e se inflamavam. *Éramos movidas pela lembrança daquela grande manifestação das mulheres proletárias de Petrogrado pela paz e pela liberdade, que no 8 de março de 1917 dera início à Revolução Russa* (Citado em Côté, 1984, p. 164. Grifo da autora).

Outras resoluções aprovadas nessa conferência estavam relacionadas aos métodos que as mulheres proletárias deviam adotar em sua luta. Estes eram, fundamentalmente, a mobilização e a propaganda entre as operárias, camponesas e donas de casa. Isso deveria se dar tanto por meio de palavras como por ações e, tanto nos países onde o comunismo havia triunfando, como nos que ainda vigorava o sistema capitalista. Levar estes princípios à prática implicava fazer com que as mulheres tomassem parte ativa em todo tipo de atos de protesto, como a participação em greves, manifestações, agitações de rua etc. Neste sentido, a comemoração do Dia Internacional da Mulher se convertia em mais um mecanismo para buscar a mobilização das mulheres da classe operária em todo o mundo e conseguir que a revolução fosse um êxito em escala mundial. Não por acaso, uma das obrigações das seções de mulheres dos partidos comunistas que integravam a Terceira Internacional era encarregar-se da organização anual do Dia Internacional das Mulheres. A própria Alexandra Kollontai ratifica, com suas palavras, a mudança que a celebração havia experimentado devido ao êxito da Revolução Russa e da constituição da Terceira Internacional.

> Se a função do Dia Internacional das Mulheres Trabalhadoras era primeiro, diante da supremacia dos parlamentos burgueses, lutar pelo direito das mulheres ao voto, a classe trabalhadora agora tem uma nova tarefa: ao organizar as mulheres trabalhadoras em torno das palavras de ordem de luta da Terceira Internacional. Em vez de reivindicar a participação no trabalho dos parlamentos burgueses, ouçam a convocação que vem da Rússia: Mulheres trabalhadoras de todos os países! Organizem uma frente única proletária na luta contra aqueles que estão saqueando o mundo! Abaixo o parlamentarismo

> da burguesia! Demos as boas vindas ao poder soviético! Fora com as desigualdades sofridas pelos trabalhadores e pelas trabalhadoras! Lutemos com os trabalhadores pelo triunfo do comunismo no mundo! (Kollontai, 1982, p. 13).

No ano de 1921, Lenin publicou no *Pravda* de 8 de março um artigo comemorativo dessa festa (ver anexo – documento nº 4). Nele, em um tom totalmente propagandístico, além de celebrar os êxitos da política bolchevique com relação à posição da mulher, fazia uma chamada a todas as operárias e camponesas para seguirem na luta pelo triunfo do comunismo no mundo, já que só com ele conseguiriam sua completa libertação.

Oposto ao tom triunfante do discurso de Lenin, encontramos o relato do jornal *The New York Times* sobre a forma como seria celebrado o 8 de março naquele ano. Os atos comemorativos consistiriam no aumento da ração de comida nos refeitórios das fábricas e nas creches infantis.[94] Não era mais que o reflexo da situação em que havia ficado a economia russa após a guerra civil, o que levou Lenin a colocar em prática a Nova Política Econômica (NEP) a partir desse mesmo ano de 1921.[95]

A celebração do Dia das Mulheres, no entanto, sofreria mais uma mudança em seu significado. Finalizada a etapa que Bernice Glatzer Rosenthal denomina "de improvisação" (1917-1928) e que se caracterizou pela ênfase posta na destruição da família e da moral burguesa, com sua chegada ao poder Stalin inaugura uma fase distinta (1928-1953), que se caracterizaria pelo empenho em incluir as mulheres na força de trabalho. O sistema econômico que Stalin desenvolveu era um modelo de economia planejada, em que

---

94 *The New York Times*, 25 de fevereiro de 1921, p. 15. Microfilme.

95 Devido à situação econômica em que havia ficado o país após a guerra civil e a intervenção estrangeira, o programa econômico de socialização acelerada em todos os setores econômicos que os bolcheviques haviam previsto não podia se desenvolver. Era necessária uma mudança de rumo, que ocorreu com a colocação em prática da NEP, na qual convergiam elementos socialistas e elementos capitalistas, conformando um modelo econômico híbrido que ampliava o marco das atividades privadas e que seus contemporâneos interpretavam como uma pausa necessária para o posterior desenvolvimento integral do socialismo. Ver Elena Hernández Sandoica e outros, *La URSS, de Lenin a Stalin. Guerra Civil, Economía y Arte*. Madrid: Temas de Hoy, 1997.

se previam de antemão desde os recursos disponíveis até os níveis de produção e consumo. Sua colocação em prática se faria por meio dos planos quinquenais, o primeiro dos quais ocorreu entre 1928 e 1932. Graças a este plano econômico, a União Soviética experimentou uma profunda revolução industrial em um prazo de apenas dez anos. Para que isso fosse possível, era necessária uma grande quantidade de mão de obra, conseguida recrutando as mulheres.

Foram organizadas listas de trabalhos para os quais as mulheres eram consideradas especialmente aptas – principalmente nas linhas de montagem – ignorando muitas vezes a legislação que as protegia de exercer trabalhos mais pesados e perigosos. Para tornar as mulheres trabalhadoras qualificadas, a partir de 1931 as universidades e as escolas técnicas industriais reservavam entre 25% e 50% de suas vagas para as estudantes – um antecedente das atuais medidas de ação afirmativa – e os salários entre operários e operárias se igualaram. Apesar da escassez de bens de consumo básicos que a população padecia, ela era estimulada a continuar se esforçando para que o país se recuperasse do atraso que sofria em relação ao resto dos países europeus. De fato, a população operária feminina foi aumentando ano após ano, passando de 24% em 1928 a 35,4% em 1937.[96]

Esta política de "pleno emprego" tinha sua contradição para as mulheres, pois cada vez era mais difícil combinar o trabalho fora do lar com o cuidado dos filhos. Isso acontecia porque os equipamentos prometidos não foram criados tão rapidamente como o aumento da demanda de mão de obra feminina. As condições nas moradias tampouco eram as mais adequadas para criar os filhos. Não existia uma oferta de casas suficientemente grande para abrigar de maneira digna toda a população que chegava às cidades em busca de emprego. A luz elétrica, a calefação central, a água corrente eram luxos pouco frequentes entre a população operária.

---

96 Dados extraídos de Bernice Glatzer Rosenthal, "Love on the Tractor: Women in the Russian Revolution and After", *in*: *Becoming Visible. Women in European History.* Boston: Houghton Mifflin Company, 1977, p. 386.

Todas as tarefas domésticas eram realizadas exclusivamente pelas mulheres porque, apesar de os comunistas serem conscientes de que se tratava de um trabalho improdutivo e alienante, os homens continuavam considerando que isso era próprio do outro sexo.

Estas novas condições desembocaram em uma forte queda da taxa de natalidade, que foi acompanhada com preocupação a partir de 1934. Era necessário tomar medidas em relação a isso; e para tanto, após a permissividade sexual da etapa anterior, fomentou-se a volta à estrutura familiar tradicional e a uma moralidade sexual puritana. O aborto livre foi abolido em 1936, o divórcio tornou-se mais difícil de ser obtido e as cotas para mulheres nas escolas técnicas e universidades, suprimidas. Às disposições legais, se uniu o aparato propagandístico do regime estalinista que, se anteriormente havia promovido o papel produtivo da mulher, agora promovia seu papel reprodutivo, exaltando sua maternidade como dever patriótico e substituindo a imagem da revolucionária pela da mãe abnegada.

Como antecedente desta mudança na situação da mulher houve a dissolução do *Zhenotdel* em 1930, medida precedida, por sua vez, pela dissolução do Secretariado Internacional de Mulheres em 1923. A corrente antifeminista, que já era visível entre os social-democratas em 1905, persistiu em alguns líderes após a revolução. Opunham-se à existência do *Zhenotdel* por considerá-lo um perigo para a unidade do partido, pois, com a desculpa de trabalhar para melhorar a condição das mulheres, podia levá-las a perder a perspectiva da luta de classes. Da mesma forma, consideravam o Dia Internacional das Mulheres uma perda de tempo e de dinheiro, se esquecendo que era uma festa que aumentava a consciência de classe das mulheres. Com a dissolução do *Zhenotdel*, considerou-se que a questão da mulher estava resolvida. Desde que ambos os sexos eram iguais em direitos e deveres, ao menos em teoria, já não eram necessárias medidas especiais a favor do, anteriormente, sexo oprimido. Desse momento em diante, como afirma Richard Stites, a posição social, política e econômica da mulher passa a ser definida pelos homens do partido:

> Os êxitos registrados pelo *Zhenotdel* em elevar a consciência das mulheres pobres e atrasadas eram prova suficiente de que havia outras coisas a mais para alcançar a emancipação da mulher além da obtenção do sufrágio. Porém, sua abolição, em 1930, era prova também de que, sem a igualdade política, a "causa comum" pela qual as mulheres tinham lutado durante três gerações seria sempre definida pelos homens (Stites, 1990, p. 345).

No mesmo ano em que se dissolveu o *Zhenotdel*, considerado pelos homens do partido já como desnecessário, Alexandra Kollontai, líder do movimento proletário das mulheres russas e que havia definido a "nova mulher", foi enviada à Suécia como embaixadora da Rússia. Assim como sua colega Clara Zetkin, Kollontai desenvolveu uma trajetória política e de vida marcada pela luta interior entre sua fé no socialismo e seu sentimento feminista. A diferença entre elas era que Zetkin viu na revolução, que viveu nos últimos anos da sua vida, a união perfeita entre esses dois sentimentos. Kollontai, ao contrário, foi afastada do projeto de construção da nova sociedade comunista que ela mesma contribuiu para criar. Sua trajetória política é resumida por Richard Stites nos seguintes termos :

> O tema central na vida de Alexandra Kollontai é a luta entre socialismo e feminismo. (....) Kollontai é talvez o melhor exemplo de nosso século do duplo compromisso com o feminismo e com o socialismo e do duplo fracasso pelas mãos da revolução que ela mesma contribuiu para criar. (...) Como feminista lutou por uma nova mulher e uma cultura erótica que libertaria as mulheres, humanizaria os homens e envolveria a ambos em um novo e nobre coletivo de vida e trabalho; como socialista, evoluiu de um vago impulso populista ao marxismo, do menchevismo ao bolchevismo, de propagandista a revolucionária e, finalmente, às vésperas de cair em desgraça, do sindicalismo burocrático ao iconoclasta no Movimento de Oposição Operária (Stites, 1981, p. 120-121).

Em vista desses acontecimentos, não é de se estranhar o novo significado que ganhou o Dia Internacional das Mulheres. Se a imagem da mulher-revolucionária, necessária em seu momento para o triunfo da revolução, foi substituída pela da mãe-abnegada, requerida agora para aumentar os índices da natalidade, o Dia Internacional das Mulheres se converteu desde meados dos anos 1930 no equivalente ao Dia das Mães celebrado nos países ocidentais. O *The New York Times* divulgava que os discursos com os quais até aquele momento essa festa era comemorada na URSS, e nos quais se exaltava o trabalho realizado em favor das mulheres, incorporando-as ao trabalho nas fábricas e melhorando seu nível educativo, foram substituídos pela entrega de presentes às mães, que consistiam basicamente em ramos de mimosas e outras flores, esperados por elas com grande expectativa.

> O Dia das Mulheres Trabalhadoras, que até agora era celebrado na União Soviética como um momento completamente político dedicado às reuniões, tomará um caráter diferente este ano. A política estará em posição subordinada e a ocasião se converterá virtualmente em um Dia das Mães, como é celebrado nos países burgueses (*The New York Times*, 20 de fevereiro de 1936. Página principal. Microfilme).

O Dia Internacional das Mulheres foi se esvaziando, assim, do conteúdo emancipador que teve em seu início, ao ser "sequestrado" pelos homens no poder, que lhe davam o significado mais conveniente naquele momento. O que nunca se perdeu, entretanto, ao menos nessa primeira etapa de sua comemoração, que situamos até o final da Segunda Guerra Mundial, foi seu caráter de festa comunista. Nos Estados Unidos, na cidade de Nova York, o Dia Internacional das Mulheres foi celebrado em 8 de março de 1928 por mais de duas mil mulheres "vermelhas" com o apoio da Conferência da Federação das Mulheres Trabalhadoras de Nova York (*New York Working Women's Federation Conference).* A comemoração, cujo mote era a luta contra o capitalismo, o imperialismo e as futuras guerras, foi uma desculpa para protestar contra as más condições de trabalho, os baixos salários e o sistema educativo deficiente nos Estados Unidos, exaltando o trabalho que a República Soviética desenvolvia em todos estes setores. No final do ato, foi lida uma resolução em que se felicitavam as camaradas soviéticas e na qual se expressava o desejo de que algum dia se pudesse viver nos Estados Unidos as mudanças que se estavam vivendo na Rússia:

> Pioneiras da União Soviética! Permaneçam preparadas! Nós, as pioneiras da América, estamos sempre preparadas. As condições da América são adversas (...) porém lutaremos e algum dia teremos uma América Soviética. (...) Es-

tamos preparadas para permanecer a seu lado e continuar lutando por vocês contra os capitalistas da América e de todo o mundo (*The New York Times*, 5 de maio de 1928, p. 16. Microfilme).

O Dia Internacional da Mulher e a Segunda Guerra Mundial

Com o início da Segunda Guerra Mundial (1939-1945), as mulheres antifascistas dos países aliados foram mobilizadas para que ocupassem os postos de trabalho que seus maridos, lutando na frente de batalha, deixaram vagos. Diferentemente da Primeira Guerra Mundial, a Segunda era vista como uma "guerra justa" contra a barbárie fascista, razão pela qual as mulheres responderam à convocação de seu governo para deter o avanço do fascismo.

Apesar da guerra, o Dia Internacional da Mulher não caiu no esquecimento, continuou sendo comemorado no dia 8 de março, embora as celebrações tenham adquirido um novo caráter. Na Rússia, o jornal *Pravda* publicava nesse dia artigos nos quais se exaltava o trabalho desenvolvido pelas mulheres em todos os setores da indústria em prol da economia de seu país. Em 1944, o Dia Internacional da Mulher foi comemorado em Londres com a participação de mulheres proeminentes dos Estados Unidos, Rússia e China e com o destaque da presença da sra. Churchill. Ela leu uma mensagem expressando a esperança de que, graças aos esforços realizados pelas mulheres, em menos de um ano os países ocupados pelos alemães fossem libertados:

> É nossa esperança que antes da próxima comemoração nossos esforços tenham trazido alívio aos países ocupados pelos alemães. Enquanto isso, rezemos para ter a coragem necessária para superar as dificuldades que necessariamente devemos enfrentar e permitam-nos estender um espírito de esperança e de confiança entre aqueles que nos escutam[97] (*The New York Times*, 6 de março de 1944, p. 12. Microfilme).

No ano seguinte, os atos de comemoração do Dia Internacional da Mulher voltaram a ocorrer no dia 8 de março em Londres, no *Albert Hall*, com a participação, entre outras, da sra. Roosevelt.

---

97 Uma experiência do mesmo tipo foi vivida no ano anterior, quando a sra. Roosevelt enviou suas felicitações às mulheres russas na comemoração de seu dia através de uma mensagem radiofônica.

O que as impulsionava era a necessidade de elaborar uma carta de direitos das mulheres na qual fosse recompensado seu trabalho como artífices da paz. No mês de fevereiro desse mesmo ano, quando os aliados estavam próximos da vitória final, a reunião de Yalta tomou, entre outras, a decisão de criar as Nações Unidas, uma organização internacional de pós-guerra, no marco da qual as grandes potências atuariam como polícias em escala mundial para preservar a paz e a segurança na nova ordem internacional a ser criada após a guerra. As mulheres não queriam ficar excluídas do processo de construção dessa nova ordem mundial, que haviam colaborado para criar com seu trabalho. Por isso, por ocasião do 8 de março de 1945 (chamado pela sra. Roosevelt de *"May International Woman's Day"* – Dia Internacional da Mulher de Maio), mulheres das altas esferas políticas reuniram-se em Londres para elaborar a carta de direitos da população feminina, que deveria ser apresentada na reunião a ser realizada em São Francisco, do dia 25 de abril a 26 de junho desse mesmo ano, para redigir a Carta das Nações Unidas com representantes de 50 países.[98]

Nela reclamavam o reconhecimento de seus direitos como mães, trabalhadoras e cidadãs. Em seu papel de mães, reivindicavam o direito de trazer seus filhos a um mundo livre do medo da guerra e viver em países com serviços de saúde, educação e assistência social satisfatórios. Como trabalhadoras, reclamavam seu direito de trabalhar em todos os setores da indústria e em todas as profissões, de receber igual salário por igual trabalho, de ter oportunidades iguais de formação e de promoção, o fim da exploração das mulheres como mão de obra barata e a melhora das condições de trabalho. E como cidadãs, reivindicavam o direito ao voto, a possuir um *status* social igual ao dos homens e a participar nos júris e nos organismos políticos nacionais e internacionais.

Desde o primeiro momento da constituição das Nações Unidas em 1945, fomentou-se a participação ativa das mulheres nos traba-

[98] *The New York Times*, 9 de março de 1945, p. 11. Microfilme.

lhos de todas suas comissões. Na primeira reunião da Assembleia Geral, a sra. Roosevelt, representando as 17 mulheres membros da Assembleia Geral, apresentou uma carta na qual destacava o espírito com que as mulheres se integravam nos trabalhos pela construção de uma nova ordem:

> Esta primeira Assembleia das Nações Unidas representa a segunda tentativa dos povos do mundo para viver em paz em uma comunidade mundial democrática. Esta nova oportunidade para a paz foi conquistada através dos esforços de homens e mulheres trabalhando pelos ideais comuns da liberdade humana em um tempo em que a necessidade de união de esforços rompeu as barreiras de raça, credo e sexo. Em vista desta variedade de tarefas que as mulheres desenvolveram tão notável e valentemente durante a guerra, estamos agradecidas que 17 mulheres delegadas e conselheiras, representantes de 11 Estados membros, estejam tomando parte no começo dessa nova fase de empenho internacional. Esperamos que sua participação no trabalho das Nações Unidas cresça e se amplie em perspicácia e habilidade. Com este fim nos voltamos aos governos de todo o mundo para que estimulem as mulheres de todos os países a tomar parte de maneira mais ativa nos assuntos nacionais e internacionais, e às mulheres que são conscientes de suas oportunidades para apresentar-se e compartilhar o trabalho pela paz e pela reconstrução como fizeram na guerra e na resistência (Nações Unidas, 1947, p. 78-79).

Nos anos seguintes, o Dia Internacional da Mulher passou a ser uma ocasião para elogiar o trabalho realizado pelas mulheres durante a guerra e para reconhecer seu direito de participar da construção de um novo mundo em paz. Em 1946 e 1947, as estadunidenses felicitavam no 8 de março as cidadãs soviéticas na comemoração de "seu" dia, em uma tentativa de fortalecer os laços de amizade e paz entre as mulheres dos países que derrotaram o fascismo. Essas mensagens eram publicadas pela imprensa soviética e pela estadunidense. A soviética se ocupava em relatar as diferenças de direitos entre as cidadãs do seu país, que oficialmente contavam com os mesmos direitos que os homens, e os das mulheres dos países capitalistas, que continuavam sendo exploradas pelo capital:

> Nos juntamos a vocês e às mulheres amantes da liberdade de todo o mundo, unidas na amizade, no entendimento e no desejo comum de construir um mundo de paz e felicidade advindo da vitória que obtivemos juntas sobre o

> passado criminoso de tirania e guerra (*The New York Times*, 21 de fevereiro de 1947, p. 11. Microfilme).

Por iniciativa da delegação francesa, que defendia a necessidade de ampliar o espaço dedicado ao trabalho entre as mulheres, as Nações Unidas criaram em 1947 a Comissão sobre o *Status* da Mulher, que originariamente fora uma subcomissão dependente da Comissão de Direitos Humanos. Sua função era promover o reconhecimento e a concretização dos direitos políticos, econômicos, sociais e educacionais da população feminina. Desde esse momento, as mulheres, que haviam começado a celebrar um Dia Internacional para reivindicar o mais básico dos direitos, o do sufrágio, passaram a contar com um organismo internacional que de agora em diante velaria por seus direitos.

Isso não impediu que o Dia Internacional da Mulher continuasse sendo comemorado com o sentido reivindicativo que tinha em suas origens, principalmente nos países comunistas e pelas mulheres comunistas dos países ocidentais, até que foi retomado pela segunda onda do movimento feminista no final dos anos de 1960. Desde então, passou a ser uma ocasião para reafirmar em escala internacional a consciência feminista das mulheres, ficando um tanto encoberta sua marca comunista original.

Para isso contribuíram ações como a das Nações Unidas que, na ocasião da celebração do Ano Internacional da Mulher em 1975, ofereceram uma versão dos fatos que teriam dado origem ao surgimento do Dia Internacional da Mulher. É muito interessante ressaltar que nesse breve informe são silenciados de maneira absoluta os acontecimentos vividos na Rússia em 1917, que foram, precisamente, os que fariam do 8 de março o dia escolhido para celebrar o Dia Internacional da Mulher:

> O Dia Internacional da Mulher foi proposto pela primeira vez por Clara Zetkin, uma representante da Conferência de Mulheres Socialistas, celebrada em Copenhague em 1910. A proposta apareceu no começo de um período de grande transformação social e política no mundo. A Europa estava às portas da Primeira Guerra Mundial, os impérios coloniais da Ásia e da África estavam sofrendo as primeiras comoções da revolta nacionalista, na América do

> Norte o movimento pelo sufrágio feminino estava questionando alguns dos pressupostos das relações humanas. A convocação de Clara Zetkin às mulheres para unir sua luta por igualdade de direitos com a luta para preservar a paz mundial encontrou uma sensível repercussão. Quando foi celebrado o primeiro Dia Internacional da Mulher em 1911, mais de um milhão de mulheres participaram dele publicamente. Para além do direito de voto e de ocupar cargos públicos, reivindicavam o direito de trabalhar, à educação profissional e o fim da discriminação no trabalho. *Desde aquele primeiro Dia Internacional da Mulher, o significado do evento vem crescendo e agora tomou verdadeiramente um caráter internacional. A luta pela igualdade das mulheres é vista agora firmemente no contexto da ampla luta pelo desenvolvimento econômico e social e pela paz internacional.* Estes são os temas do presente Ano Internacional da Mulher, declarado pela Assembleia Geral das Nações Unidas (Nações Unidas, 1975. Grifo da autora).

Com esta declaração as Nações Unidas, além de omitirem o caráter comunista do 8 de março, mostravam sua intenção de que o Dia Internacional da Mulher se convertesse em uma celebração na qual as reivindicações femininas ficassem integradas e, portanto, diluídas em um marco muito mais amplo, como o desenvolvimento econômico e social em escala mundial.

Conclusões

Em nossa investigação fizemos uma análise das condições históricas em que se produziu o nascimento do Dia Internacional da Mulher e percorremos o trajeto de sua comemoração, desde suas origens até 1945. Esta tarefa nos levou a retomar os movimentos de mulheres burguesas e socialistas desenvolvidos na Alemanha, Estados Unidos e Rússia entre as últimas décadas do século 19 e as primeiras do 20, por serem neles que se encontram as causas e antecedentes que levaram à criação de uma data tão carregada de significado como é o Dia Internacional da Mulher. Ao finalizar nossa tarefa, é necessário listar as conclusões a que chegamos.

O nascimento do Dia Internacional da Mulher, contrariamente ao que se acreditava em todos os cantos, não se apoia em um acontecimento isolado, sobre o qual nem sequer existia consenso entre a historiografia estadunidense e a espanhola, mas enquadra-se em um contexto histórico e ideológico muito mais amplo. As duas tradições historiográficas chegaram a criar mitos próprios. No caso dos Estados Unidos situando o nascimento do 8 de março em uma manifestação das operárias do setor têxtil novaiorquino ocorrida nesse dia do ano de 1857 e, segundo outras versões, do ano de 1908. E no caso da historiografia espanhola, situando-o no incêndio de uma fábrica têxtil ocorrido na mesma data e na mesma cidade, no qual um grande número de operárias morreram. Os dois acontecimentos, em separado, sem relação com o Dia Internacional da Mulher, ocorreram realmente, embora em datas diferentes daquelas tradicionalmente aceitas. O incêndio que teve a maior repercussão na história do movimento feminista estadunidense e que despertou o mais profundo interesse na historiografia dos Estados Unidos foi o da Triangle Shirtwaist Company em Nova York. O incêndio ocorreu no dia 25 de março de 1911, seis dias depois da primeira comemoração do Dia Internacional da Mulher, no dia 19 de março daquele mesmo ano. No incêndio morreram 142 trabalhadoras[99] que, entre os meses de setembro de 1909 e fevereiro de 1910, protagonizaram a primeira greve nacional feita exclusivamente por mulheres, reivindicando a melhoria de suas condições de trabalho. Se separadamente, estes dois acontecimentos – o incêndio e a greve – não têm conexão com nosso tema de estudo, há neles muitos dados que favoreceram a criação do mito. Na cidade de Nova York existiu, efetivamente, um incêndio, da mesma forma que ocorreram diversas ações de protesto contra as condições de trabalho que eram vividas no setor têxtil, todos eles acontecimentos protagonizados por operárias. Mas, uma simples análise das datas faz balançar o mito do incêndio e o da manifestação, porque o dia 8 de março de 1857 e o dia 8 de março de 1908 eram domingo, dia em que não se trabalha e pouco comum para se declarar uma greve. Recorrendo a fontes primárias, o texto da resolução adotada pela 2ª Conferência Internacional de Mulheres Socialistas, realizada em Copenhague em 1910, nos confirmou que não se faz ali alusão a nenhum acontecimento protagonizado por operárias que devesse ser comemorado com a celebração do Dia Internacional da Mulher, nem sequer se estabeleceu uma data concreta em que a comemoração deveria acontecer.

---

99 Diversas fontes e referências atuais registram o número total de 146 vítimas fatais, sendo a imensa maioria mulheres. Algumas vítimas não foram jamais identificadas. Na página da Universidade de Cornell, EUA, sobre o incêndio, há uma lista nominal das vítimas, registrando cerca de uma dezena de homens. Fonte: www.ilr.cornell.edu/trianglefire/victims.html (Nota da edição).

A origem do Dia Internacional da Mulher somente poderia acontecer, como de fato ocorreu, dentro dos marcos da teoria socialista. Foram os expoentes máximos dessa ideologia da segunda metade do século 19 os que dedicaram mais páginas em seus escritos ao que se denominou "questão da mulher". Friedrich Engels, em *A origem da família, da propriedade privada e do Estado* (1884), e August Bebel, em *A mulher e o socialismo* (1879), reconheceram a dupla opressão a que as mulheres estavam submetidas sob o sistema capitalista, como trabalhadoras e como mulheres. Através de seus escritos, as induziram a somar esforços com seus companheiros da classe proletária para alcançar o triunfo da revolução socialista, com a qual ambos alcançariam sua total emancipação.

Por trás da comemoração do Dia Internacional da Mulher se escondia a oposição vivida em quase todos os países europeus entre os poderosos movimentos feministas burgueses e os não menos influentes movimentos de mulheres socialistas durante os anos anteriores à Primeira Guerra Mundial. Ambos partilhavam a reivindicação do reconhecimento dos direitos básicos para o sexo oprimido (controle sobre suas propriedades, acesso às universidades e ao exercício de todas as profissões, reforma da lei do divórcio), mas, acima de todas, se encontrava a reivindicação do direito ao voto. Não é correta a ideia segundo a qual eram somente as feministas burguesas que lutavam pelo sufrágio. Essa era também uma reivindicação primordial para as socialistas que, além disso, se viam amparadas em sua disputa pelos partidos dessa ideologia. O direito ao voto era o símbolo mais poderoso da independência e da emancipação feminina. Ao reivindicá-lo se insistia na igualdade das mulheres, na capacidade que tinham para compreender a prática política e para participar ativamente nela. No entanto, a colaboração entre os dois movimentos, que se tratavam não somente com reticências, mas inclusive com certa hostilidade, tornou-se impraticável porque o abismo social que existia entre eles era insuperável. Não esqueçamos que o movimento feminista era formado por mulheres da classe média e alta, profissionais e independentes, enquanto o movimento socialista era formado por operárias ou esposas de operários, sem estudos e com filhos para criar e educar. As burguesas nunca poderiam compreender a realidade em que viviam as operárias, mas, sobretudo, resistiam a comungar com a reivindicação que estas faziam de uma revolução que colocaria em perigo seu *status* social e seus interesses econômicos.

A proposta de comemorar o Dia Internacional da Mulher não era de todo original, uma vez que o Partido Socialista Americano comemorava oficialmente o *Woman's Day* desde o último domingo de fevereiro de 1909. Foram os Estados Unidos, onde o movimento de mulheres socialistas era menos poderoso, o país que celebrou pela primeira vez um dia dedicado às mulheres, em que a principal reivindicação era o reconhecimento de seu direito ao voto. Essa decisão respondia a dois poderosos motivos. O primeiro, cumprir com a resolução adotada pelo congresso da Segunda Internacional realizado em Stuttgart em 1907, que conclamava os partidos socialistas a lutarem energicamente pelo sufrágio universal feminino. E, também em decorrência do debate sobre a conveniência ou não da colaboração entre feministas e socialistas. O segundo motivo era mostrar com clareza às mulheres da classe operária quem eram os que estavam realmente dispostos a defender seus direitos. Essa atitude fazia pleno sentido desde o momento em que o movimento sufragista, após o isolamento de Stanton, partidária da colaboração com os socialistas, optou por defender os interesses das mulheres burguesas, renunciando a qualquer tipo de transformação revolucionária da sociedade capitalista.

A decisão de transformar essa celebração em uma festividade internacional deveu-se a Clara Zetkin, líder do movimento internacional de mulheres socialistas até o início da Primeira Guerra Mundial. A proposta de sua criação, na qual não se propunha nenhuma data concreta, foi apresentada na 2ª Conferência Internacional de Mulheres Socialistas, realizada em 1910 em Copenhague. Com ela, Zetkin, buscava alcançar dois objetivos. Por um lado, diante das iniciativas internacionalistas do movimento feminista burguês (lembremo-nos da formação do Conselho Internacional de Mulheres, de 1888, ou da Aliança Internacional pelo Sufrágio para a Mulher, de 1904), conseguia reforçar os laços de solidariedade e identidade entre as mulheres socialistas de todos os países. De outro, fazia da reivindicação do direito de voto da mulher uma demanda internacional, conseguindo demonstrar que as mulheres socialistas, apesar dos obstáculos com que se defrontavam, eram capazes de somar sua voz àquelas que exigiam a democratização dos sistemas políticos europeus.

A necessidade da comemoração de um Dia Internacional da Mulher teve de ser justificada, diante do receio que despertava nos homens socialistas, temerosos de que se convertesse em outro 1º de Maio. Por isso, ele foi apresentado como um mecanismo de recrutamento de mulheres dentro das fileiras socialistas, que também fortaleceria a educação política e a consciência de classe das mulheres da classe operária, cujos votos eram necessários para fazer triunfar a revolução, ou seja, era necessário que fosse apresentado como uma celebração que, antes de tudo, estava a serviço dos interesses do partido.

Para além da importância política que teve o nascimento do Dia Internacional da Mulher, é importante também atentar-se ao impacto que produziu na sociedade europeia o fato de ver, nas primeiras comemorações, as mulheres na rua, levando cartazes em que reivindicavam o direito ao voto e marchando em defesa de seus interesses. Por meio dessas manifestações, herdeiras daquelas organizadas pelas sufragistas estadunidenses, as mulheres expressavam seu desejo e, o que parecia mais alarmante, sua capacidade de manifestar sua independência. Esse mesmo efeito se produziu quando, no final dos anos 1960, a segunda onda do movimento feminista retomou a comemoração do 8 de Março e as mulheres voltaram a sair às ruas.

A Revolução Russa de 1917 teve uma grande influência no Dia Internacional da Mulher em todos os níveis. Em primeiro lugar, consideramos que, ainda que o dia dessa festividade fosse celebrado na Rússia desde o 8 de março de 1914, a manutenção dessa data para celebrar, até hoje, o Dia Internacional das Mulheres, deve-se a que nesse dia de 1917 as mulheres russas se amotinaram devido à falta de alimentos, dando início ao processo revolucionário que culminaria no mês de outubro desse mesmo ano. Em segundo lugar, o Dia Internacional da Mulher adquiriu desde então um caráter comunista pois, desde o princípio, mostrou sua utilidade aos interesses revolucionários, como um mecanismo para fazer propaganda das melhoras que a revolução havia introduzido no *status* da mulher e, desse modo, fazer com que as mulheres apoiassem a expansão da revolução em nível internacional. Sua utilidade para os interesses revolucionários voltaram a se manifestar quando, após Stalin chegar ao poder, o Estado necessitava aumentar os índices de natalidade e o Dia Internacional da Mulher passou a converter-se em um equivalente ao Dia das Mães.

No resto dos países, o 8 de Março continuou sendo comemorado pelas mulheres comunistas em lembrança daquele 8 de março de 1917 e com a esperança de que em seus países se pudesse, alguma dia, experimentar a transformação política que fora vivida na União Soviética. Apesar disso, acabada a Segunda Guerra Mundial, a Organização das Nações Unidas criou um novo marco institucional, incentivando as mulheres de todos os países que libertaram o mundo do terror fascista, a participar da comemoração do Dia Internacional da Mulher para garantir o reconhecimento de seus direitos na nova ordem internacional que estava começando a se criar.

Referências bibliográficas

ARCHER, Jules. *Breaking Barriers. The Feminist Revolution from Susan B. Anthony to Margarte Sanger to Betty Friedan*. New York: Viking Books, 1991.

BEBEL, August. *La Mujer y el Socialismo.* (1ª ed. 1879). Akal editor, Espanha, 1977.

BUHLE, Mari Jo. *Women and American Socialism, 1870-1920.* Chicago: University of Illinois Press, 1983.

BASCH, Françoise. The Shirtwaist Strike in History and Myth. Introdução a MALKIEL, Theresa S. *The Diary of a Shirtwaist Striker*. New York: ILR Press, 1990.

CARR, Edward H. *Historia de la Revolución Soviética.* 14 vols. Madrid: Alianza, 1972-1984.

______. *La Revolución Russa de Lenin y Stalin, 1917-1929.* El Libro de Bolsillo, n. 830. Madrid: Alianza, 1983.

CATT, Carrie (Lane) Chapman. *The World Movement for Woman Suffrage 1904 to 1911; being the presidential address delivered at Stockholm to the Sixth Convention of the International Women Suffrage Alliance, on Tuesday, June 13, 1911.* The International Woman Suffrage Alliance. New Haven, Connecticut: Research Publications, 1977. Microfilme.

______. *Political Parties and Women Voters. Address delivered... to the Congress of the League of Women Voters.* New Heaven, Connecticut: Research Publications, 1977. Microfilme.

Clements, Barbara; Engel, Barbara e Worobec, Christine (eds.). *Russian Women. Accommodation, Resistance, Transformation*. Berkeley: University of California Press, 1991.

Côté, Renée. *La Journée Internationale des Femmes: Les Vrais faits et les Vrais dates des Mystérieuses Origines du 8 Mars Jusqu'ici Embrouillées, Truquées, Oubliées: La Clés des Énigmes, la Vérité Historique*. Montréal: Les Éditions du Remue-Ménage, 1984.

Dazhina, I. M. (comp.). *Alexandra Kollontai. Selected writings and speeches*. New York: International Publishers, 1984.

Decisions of the Third Congress of the Communist International. Held at Moscow, July, 1921. London: Communist Party of Great Britain, s.d.

DuBois, Ellen C. (ed.) *The Elizabeth Cady Stanton-Susan B. Anthony Reader. Correspondence, Writings, Speeches*. Boston: Northeastern University Press, 1992.

______. *Woman Suffrage. Women's Rights*. New York and London: New York University Press, 1998.

______. *Harriot Stanton Blatch and the Winning of Women Suffrage*. New Heaven and London: Yale University Press, 1997.

Elejabeitia, Carmen. *Liberalismo, Marxismo y Feminismo*. Colección Historia, Ideas y Textos, n. 13. Barcelona: Anthropos, 1987.

Engels, Friedrich. *El Origen de la Familia, de la Propiedad Privada y el Estado*. (1ª ed. 1884) Colección Textos Universitarios. Madrid: Endimión, 1988.

Evans, Mary. *Introducción al Pensamiento Feminista Contemporáneo*. Madrid: Minerva Ediciones, 1997.

Evans, Richard J. *Comrades and Sisters. Feminism, Socialism and Pacifism in Europe, 1870-1945*. New York: Wheatsheaf Books, 1987.

______. *Las Feministas. Los Movimientos de Emancipación de la Mujer en Europa, América y Australasia, 1840-1920*. (1ª ed. 1977). Madrid: Ediciones Siglo XXI, 1980.

Farnsworth, Beatrice. "Bolshevism, The Woman Question, and Alexandra Kollontai", *in*: *Socialist Women. European Socialist Feminism in the Nineteenth and Early Twentieth Centuries*. New York: Elsevier, 1978. Publicado pela primeira vez em *The American Historical Review* 81, n. 2 (April, 1976): 292-316.

______. *Aleksandra Kollontai. Socialism, Feminism, and the Bolshevik Revolution*. Standford, California: Stanford University Press, 1980.

Ferro, Marc. *La Revolución Rusa de 1917*. Madrid: Villamar, 1977.

Finley, M. I. *Uso y abuso de la Historia*. Barcelona: Crítica, 1977.

Flexner, Eleanor e Fitzpatrick, Ellen. *Century of Struggle. The Woman's Rights Movement in the United States*. (1ª ed. 1959). Cambridge, Massachusetts, London: The Belknap Press of Harvard University, 1996.

Foner, Philip S. *Clara Zetkin. Selected Writings*. New York: International Publishers, 1984.

Friedl, Bettina (ed.). *On to Victory: Propaganda Plays of the Woman Suffrage Movement*. Boston: Northeastern University Press, 1987.

Gilman, Charlotte P. *Women and Economics. A Study of the Economic Relation Between Men and Women as a Factor in Social Evolution*. (1ª ed. 1898). New York: Dover Publications, 1998.

Hartmann, Heidi. "The Unhappy Marriage of Marxism and Feminism: Towards a More Progressive Union", *in*: *Women and Revolution. A Discussion of the Unhappy Marriage of Marxism and Feminism*. Montreal: Black Rose Books, 1981.

Hausman, Bernice L. "Sex Before Gender: Charlotte Perkins Gilman and the Evolutionary Paradigm of Utopia". *Feminist Studies* 24, n. 3 (Fall 1998) p. 488-510.

Hill, Mary A. *Charlotte Perkins Gilman. The Making of a Radical Feminist, 1860-1896*. Philadelphia: Temple University Press, 1980.

Hernández Sandoica, Elena e outros. *La URSS, de Lenin a Stalin. Guerra Civil, Economía y Arte*. Siglo XX. Historia Universal, n. 10. Madrid: Temas de Hoy, 1997.

Histoire de la II Internationale. Vol. 8, Congrès Socialiste International, Stuttgart 6-24 Août 1907. Genève: Minkoff Reprint, 1978.

Histoire de la II Internationale. Vol. 9, Congrès Socialiste International, Copenhague 28 Août-3 Septembre 1910. Genève: Minkoff Reprint, 1981.

Holt, Alix (comp). *Selected Writings of Alexandra Kollontai*. London: Allison & Busby, 1977.

Honeycutt, Karen. "Clara Zetkin: A Socialist Approach to the Problem of Woman's Oppression". *Feminist Studies* 3, n. 3/4 (Spring-Summer 1976) p. 131-144.

Kandel, Liliana e Picq, François. "*Le Mythe des Origines, A Propos de la Journée Internationale des Femmes*", La Revue 12 (Automne 1982) p. 67-80.

Kaplan, Temma. "On the Socialist Origins of the International Woman's Day". *Feminist Studies* 11, n. 1 (Spring 1985) p. 163-171.

Kollontai, Alexandra. *Women Workers Struggle for their Rights*. Bristol: Falling Wall Press in association with Women's Liberation Movement, 1973.

______. *La Mujer en el Desarrollo Social*. (1ª ed. 1925). Colección Universitaria de Bolsillo. Barcelona: Ediciones Guadarrama, 1976.

______. *Memorias*. (1ª ed. 1974). Colección Tribuna Feminista, n. 9. Madrid: Editorial Debate, 1979.

______. *International Women's Day*. Cleveland, Ohio: Hera Press, 1982. Microfilme.

Kovacik, Karen. "Words of Fire for Our Generation: Contemporary Working-Class Poets on the Triangle Fire", *Women's Studies Quarterly*, XXVI, n. 1&2 (Spring/Summer 1998) p. 137-158.

Krupskaya, Nadezhda K. Introdução a: *The Emancipation of Women from the Writings of V. I. Lenin*. (1ª ed. 1934). New York: International Publishers, 1995.

Lenin, V. I. *Soviet Power and the Status of Women. International Women's Day*. Moscow: Foreign Languages Publishing House, 1954.

______. *Soviet Power and the Status of Women. International Working Women's Day*. (1ª ed. 1955). Moscou: Progress Publishers, 1972.

Lewis, Lena M. *The Socialist Party and Women Suffrage*. The National Office of the Socialist Party. New Heaven, Connecticut: Research Publications, 1977. Microfilme.

Luxemburg, Rosa. "The Origins of May Day". *International Socialist Review* (May, 1971) p. 5.

Lloyd, Trevor. *Las Sufragistas. Valoración Social de la Mujer*. Biblioteca del Siglo XX. Barcelona: Ediciones Nauta, 1970.

Malkiel, Theresa S. *The Diary of a Shirtwaist Striker*. (1ª ed. 1910). New York: ILR (School of Industrial and Labor Relations Cornell University), 1990.

Marx, Karl e Engels, Friedrich. *El Manifiesto Comunista*. (1ª ed. 1848). Colección Textos Universitarios. Madrid: Endimión, 1987.

McClymer, John F. *The Triangle Strike and Fire*. Florida: Harcourt Brace College Publishers, 1998.

Meyer, Alfred G. *The Feminism and Socialism of Lily Braun*. Bloomington: Indiana University Press, 1985.

Miguel Álvarez, Ana de. *Marxismo y Feminismo en Alejandra Kollontai*. Madrid: Instituto de Investigaciones Feministas, 1993.

Mitchell, Juliet. *La Liberación de la Mujer: La Larga Lucha*. Cuadernos Anagrama. Serie Documentos, n. 100. Barcelona: Anagrama, 1975.

Monal, Isabel. *Clara Zetkin y el Día Internacional de la Mujer*. La Habana: Academia de Ciencias de Cuba, 1977.

Nações Unidas. *Year Book of the United Nations*, 1946-1947. New York: Department of Public Information, United Nations, 1947.

Nações Unidas. Centre for Economic and Social Information. *Questions and Answers on the World Conference of the International Women's Year*, março, 1975. Microfilme.

Nash, Mary. "Nuevas Dimensiones en la Historia de la Mujer", *in*: *Presencia y Protagonismo: Aspectos de la Historia de la Mujer*. Barcelona: Ediciones del Serbal, 1984.

______. "La Investigación de las Mujeres en el Marco Universitario", *in*: *Mujeres e Institución Universitaria en Occidente. Conocimiento, Investigación y Roles de Género*. Santiago de Compostela: Servicio de Publicaciones e Intercambio Científico de la Universidad de Santiago de Compostela, 1996.

Paul, Alice. Entrevistada por Amelia R. Fry para o *Suffragists Oral History Project*, 1972-1973. "Conversations with Alice Paul: Woman Suffrage and the Equal Rights Amendment".

Perrot, Michelle (ed.). *Writing Women's History*. Oxford and Cambridge, Massachusetts: Blackwell Publishers, 1992.

Pore, Renate. *A Conflict of Interest. Women in German Social Democracy, 1919-1933*. Contributions in Women's Studies, n. 26. Connecticut: Greenwood Press, 1981.

Porter, Cathy. *Alexandra Kollontai. The Lonely Struggle of the Woman Who Defied Lenin*. New York: The Dial Press, 1980.

______. *Alexandra Kollontai. A Biography*. London: Virago, 1980.

Puleo, Alicia H. (ed.) *La Ilustración Olvidada. La Polémica de los Sexos en el Siglo XVIII*. Colección Pensamiento Crítico/Pensamiento Utópico, n. 81. Madrid: Anthropos, 1993.

Quataert, Jean H. "Unequal Partners in an Uneasy Alliance: Women and the Working Class in Imperial Germany", in: *Socialist Women. European Socialist Feminism in the Nineteenth and Early Twentieth Centuries*. New York: Elsevier, 1978.

______. *Reluctant Feminism in German Social Democracy, 1885-1917*. New Jersey: Princeton University Press, 1979.

Ransel, David (ed.) *The Family in Imperial Russia*. Illinois: Illinois University Press, 1978.

Reed, John. *Diez Días que Estremecieron al Mundo*. (1ª ed. 1919). Biblioteca de Historia, n. 4. Barcelona: Ediciones Orbis, 1985.

Reetz, Dorothea. *Clara Zetkin as a Socialist Speaker*. New York: International Publishers, 1987.

Rosenthal, Bernice Glatzer. "Love on the Tractor: Women in the Russian Revolution and After", *in*: *Becoming Visible. Women in European History*. Boston: Houghton Mifflin Company, 1977.

Rowbotham, Sheila. *A century of Women. The History of Women in Britain and the United States*. Suffolk: Viking, 1997.

Rupp, Leila J. *Worlds of Women. The Making of an International Women's Movement*. Princeton, New Jersey: Princeton University Press, 1997.

Sau, Victoria. *Diccionario Ideológico Feminista*. Barcelona: Icaria, 1981.

Scott, Joan. "El Género: Una Categoría Útil para el Análisis Histórico", in: *Historia y Género. Las Mujeres en la Europa Moderna y Contemporánea*. Valencia: Ediciones Alfons el Màgnanim. Institució Valenciana d'Estudis i Investigació, 1990.

______. "Historia de las Mujeres", *in*: *Formas de Hacer Historia*. Madrid: Alianza Editorial, 1993.

Solé Romeo, Gloria. *Historia del Feminismo (siglos XIX y XX)*. Pamplona: Eunsa (Ediciones Universidad de Navarra), 1995.

Stevens, Joyce. *A History of International Women's Day in Words and Images*. Sydney: Southwood Press, 1985.

Stein, Leon. *The Triangle Fire*. Philadelphia & New York: J. B. Lippincott Company, 1962.

STITES, Richard. "Alexandra Kollontai and the Russian Revolution", *in*: *European Women on the Left. Socialism, Feminism, and the Problems Faced by Political Women, 1880 to the Present*. Contributions in Women's Studies, n. 24. Connecticut: Greenwood Press, 1981.

______. *The Women's Liberation Movement in Russia. Feminism, Nihilism, and Bolshevism, 1860-1930*. New Jersey: Princeton University Press, 1990.

______. "Women and the Revolutionary Process in Russia", *in*: *Becoming Visible. Women in European History*. Boston & New York: Houghton Mifflin Company, 1998.

TAX, Meredith. *The Rising of the Women. Feminist Solidarity and Class Conflict, 1880-1917*. New York: Monthly Review Press, 1980.

The Woman Question: Selections from the Writings of Karl Marx, Frederick Engels, V. I. Lenin, Joseph Stalin. (1ª ed. 1951). New York: International Publishers, 1970.

THESIS AND RESOLUTIONS Adopted at the Third World Congress of the Communist International (June 22nd-July 12th). New York: The Contemporary Publishing Association, 1921.

TOLSTOI, Lev. *Anna Karénina*. (1ª ed. 1877). Colección Letras Universales, n. 47. Madrid: Cátedra, 1994.

VASCONCELOS, Naumi A. "¿Existió realmente el 8 de marzo?". *Mujeres en Acción*, n. 1, (1995) p. 58-60.

VOGEL, Lise. *Marxism and the Oppression of Women: Toward a Unitary Theory*. (1ª ed. 1983). New Jersey: Rutgers University Press, 1989.

WARD, Geoffrey e BURNS, Ken. *Not For Ourselves Alone. The Story of Elizabeth Cady Stanton and Susan B. Anthony*. New York: Alfred A. Knopf, 1999.

WATERS, Mary-Alice. "Feminism and the Marxist Movement". *International Socialist Review* (October, 1972) p. 8-23.

WEIBAUM, Bayta. *El Curioso Noviazgo entre Feminismo y Socialismo*. (1ª ed. 1978). Madrid: Ediciones Siglo XXI, 1984.

WOOLF, Virginia. *Una Habitación Propia*. (1ª ed. 1929). Colección Booket, n. 199. Barcelona: Seix Barral, 1997.

ZETKIN, Clara. *Reminiscences of Lenin* [Recordações de Lenin]. New York: International Publishers, 1934.

______. *Lenin on the Woman Question.* New Heaven, Connecticut: Research Publications, 1976. Microfilme.

______. *Woman Suffrage. Speech Delivered at Mannheim Socialist Women's Conference, 1906.* The Twentieth Century Press. New Heaven, Connecticut: Research Publications, 1977. Microfilme.

ZINSSER, Judith P. *History and Feminism. A Class Half Full.* New York: Twayne Publishers, 1993.

FONTES NA INTERNET

American Memory. Historical Collections for the National Digital Library: <http://memory.loc.gov/ammem/index.html>.

Close Up Foundation: <<http://www.closeup.org/sentimnt.htm>.

Cornell University: <http://www.ilr.cornell.edu/trianglefire>.

The Fawcett Library: <http://www.lgu.ac.uk/fawcett/main.htm>.

Humanities & Social Sciences Online: <http://h-net.msu.edu/>.

Isis Creations: <http://www.isis.aust.com/iwd/stevens/contents.htm>.

National Archives and Records Administration: <http://www.archives.gov/education/lessons/woman-suffrage/>.

NAWSA: <http://lcweb2.loc.gov/ammenm/naw/nawshome.html>.

Oral History Project: <http://bancroft.berkeley.edu/ROHO/projects/suffragist/>.

Organización de las Naciones Unidas: <http://www.un.org/spanish>.

World Book: <http://www.worlbook.com/fun/whm/home.html>.

Anexos

O Sufrágio Feminino*

Clara Zetkin

Trechos do discurso pronunciado na Conferência de Mulheres Socialistas realizada em Mannheim em 1906**

(...) No tema do sufrágio feminino existe uma clara linha divisória entre nós e o movimento de mulheres burguesas. Nossa concepção é que a reivindicação do sufrágio feminino deriva, em primeiro lugar, das consequências do sistema de produção capitalista. As mulheres burguesas, ainda hoje, reclamam o sufrágio como um direito natural, como fez a filosofia especulativa do final do século 18 e começo do século 19. Nós (...) reclamamos o sufrágio como um direito social (...) devido à transformação que o sistema capitalista exerceu na vida econômica e, inclusive, na mentalidade das mulheres (...). Como prova disto, lembro a Declaração de Princípios que a Aliança Internacional pelo Sufrágio para a Mulher fez em seu primeiro congresso em junho de 1904, em Berlim, quando foi constituída esta aliança. Nessa declaração, em primeiro, segundo e terceiro lugar se estabelecem considerações baseadas em concepções filosóficas do direito natural (...). Só em

---

* Discurso publicado por Twentieth Century Press, LTD, Londres, em 1906, segundo tradução de J. B. Askew, aprovada pela conferencista. A edição consultada e traduzida pela autora é a editada por Research Publications, New Heaven, Connecticut, 1977. Microfilme.

** Para esta tradução também foi consultada a versão em inglês disponível em <www.marxists.org/archive/zetkin/1906/xx/womansuffrage.htm> (N.T.)

quarto lugar aparece a transformação econômica da sociedade e a atividade profissional da mulher. Mas em que sentido? Argumenta-se que o direito de voto das mulheres se fundamenta no aumento da riqueza que sua atividade profissional lhes proporcionou. Isso o transforma em uma medida que confere uma posição privilegiada às classes possuidoras em detrimento das não possuidoras, sem distinção de sexo (...). O sufrágio limitado, aumentando o poder das classes proprietárias, seria um meio para manter a escravidão política e social das massas exploradas.

(...) Muito poucas esposas e filhas de trabalhadores estão economica ou socialmente em condições de cumprir as exigências do sufrágio limitado. Estas mulheres não possuem propriedades, nem obtiveram um título universitário, para não falar das mulheres solteiras e que sustentam a si mesmas. (...). Se o sufrágio feminino limitado é aprovado, só uma pequena parcela das mulheres proletárias se ajustaria às 17 diferentes previsões da lei eleitoral [inglesa] sobre propriedades, título universitário, emprego, moradia e serviço e estariam capacitadas para emancipar-se politicamente. As mulheres trabalhadoras são, em geral, ainda mais exploradas pelos capitalistas e recebendo pagamento menor que o dos homens trabalhadores. Sendo pior remuneradas, estão, de acordo com o princípio do sufrágio limitado, menos qualificadas para votar que os homens, que são mais bem pagos. Este fato, também, mostra claramente que, para o sufrágio limitado, não é o princípio da igualdade entre os sexos que é decisivo, mas sim o princípio do poder e da dignidade da riqueza e da sua renda. (...). Suas defensoras insistem que o sufrágio limitado é o primeiro passo no caminho do progresso. Uma vez aprovado, seria seguido pelo sufrágio universal (...). O respeito que as mulheres burguesas mostram pelos direitos de propriedade é obviamente maior que seu amor pela igualdade entre os sexos.

(...) Nós, como socialistas, não podemos simpatizar com a causa do movimento pelo sufrágio limitado das mulheres, ainda que reconheçamos que suas líderes na Inglaterra têm grande mérito. Tiraram a população feminina de todas as classes da apatia política e as chamaram para a luta por seus direitos políticos. (...) Chamaram a atenção do movimento socialista e trabalhista sobre seu dever de encabeçar a marcha na luta pela igualdade dos sexos frente a todos os demais partidos e grupos. (...) O movimento socialista e trabalhista deve, aliás, entrar com toda sua energia na luta pelos direitos políticos de todas as mulheres sem restrições, de todas as politicamente deserdadas. A batalha pela igualdade política de todo o sexo feminino será ganha na luta do proletariado pela completa democratização do sufrágio. (...) Todo aquele que reivindica o sufrágio feminino não como um monopólio de classe, todo aquele que luta com férrea convicção pela emancipação política de todo o sexo feminino, pode e deve voltar as costas ao sufrágio limitado para as mulheres e lutar com entusiasmo pelo sufrágio para todos os adultos.

(...) Como a "questão da mulher" é só uma parte da questão social, e só pode ser resolvida com ela, ou seja, através da supressão do capitalismo e da emancipação do proletariado, da mesma maneira a emancipação política de todo o sexo feminino só se pode realizar através da luta pela completa emancipação política do proletariado.

(...) A reivindicação da emancipação das mulheres foi defendida em todas as batalhas em que a burguesia lutou pela consecução do princípio democrático, como uma condição necessária para sua própria emancipação política. Mas, (...) uma vez que conseguem poder, se esquecem de lutar pelo sufrágio feminino, assim como por outras reivindicações democráticas para o proletariado.

(...) A emancipação política do sexo feminino ainda não foi alcançada em um grande número de países e a razão é simples: no começo da intensa luta da burguesia pela obtenção dos princípios democráticos no mundo da mulher, as forças que levam um grande número de mulheres a demandar o sufrágio como uma necessidade social não haviam se desenvolvido. O requisito necessário para que as massas demandem o sufrágio como um direito historicamente justificado foi criado pelo rápido desenvolvimento do sistema de produção capitalista (...).

O desenvolvimento da grande indústria, que substituiu a economia natural da família, deu outro valor a ela e a transformou, de uma unidade econômica de produtores, simplesmente em uma unidade moral. Essa mudança assentou as bases para a emancipação econômica da mulher das tarefas domésticas e da família. E como fenômeno decorrente da independência econômica da mulher, apareceram a ação política e a reivindicação do direito de voto para o sexo feminino. As forças econômicas eliminaram o sistema econômico natural da família e impediram que a mulher continuasse sendo um trabalhador produtivo apenas no lar. As mesmas forças econômicas criaram a possibilidade e a necessidade de uma nova atividade econômica para as mulheres fora, na sociedade, no mercado de trabalho. A destruição das antigas esferas da atividade econômica das mulheres criou no mundo da mulher burguesa a necessidade de dar à vida da mulher um novo conteúdo moral, ou, inclusive, assegurar-lhe os meios econômicos para sua subsistência. A privilegiada posição do homem, contudo, pôs poderosas barreiras no caminho da luta das mulheres burguesas por uma ocupação e um sustento. As mulheres necessitam de um meio para derrubar essas barreiras e o sufrágio é esse meio para ganhar influência no âmbito político e legislativo. (...) No mundo da mulher proletária, a necessidade de ter o sufrágio, ter igualdade política, é sentida com maior intensidade. (...) As estatísticas provam de maneira conclusiva para todos os países capitalistas desenvolvidos o grau em que avançou a dissolução da velha ordem econômica e a transformação, por conseguinte, das mulheres em assalariadas com uma renda independente.(...) As milhões de mulheres trabalhadoras na indústria, no comércio, na agricultura não podem prescindir por mais tempo do sufrágio como uma arma para defender seus interesses contra o capital.

Deste ponto de vista, reivindicamos a completa igualdade política de homens e mulheres e o sufrágio feminino como declaração da maturidade política do nosso sexo. (...) Todas as mulheres, sem distinção de classe, precisam ser politicamente iguais como um meio para ganhar para elas o direito a um desenvolvimento mais livre e uma maior atividade na sociedade.

No mundo das mulheres há, contudo, como no dos homens, antagonismo e luta de classes. (...) As mulheres burguesas e as intelectuais necessitam do sufrágio para romper as barreiras que as impedem de ter acesso à cultura e às carreiras profissionais. Estas mulheres, entretanto, desejam o sufrágio não só a serviço de seus próprios interesses como membros do sexo feminino; não só desejam lutar contra os privilégios do sexo masculino, como desejam intervir em todas as áreas do trabalho social e, portanto, ajudar a resolver os problemas legislativos em todas as esferas, especialmente na esfera social. Mas, tão logo as operárias se esforçam fervorosamente para serem capazes de usar seu poder político, o antagonismo de interesses entre burguesas e operárias se manifesta imediatamente. As burguesas desejam impulsionar reformas sociais com a ideia de fortalecer e manter a existente ordem social burguesa. Ao contrário, as trabalhadoras exigem o sufrágio, não somente para defender seus interesses na vida econômica e na esfera da cultura; elas o reivindicam não como uma arma para usar contra o homem de sua mesma classe, mas sim, em primeiro lugar e sobretudo, para lutar contra a classe capitalista. E por isso, não reivindicam reformas econômicas para manter a sociedade burguesa e a ordem econômica capitalista. Reivindicam direitos políticos iguais aos dos homens para serem capazes, sem impedimentos legais, de cooperar com o homem na destruição dessa ordem social.

(...) Tão logo passemos dos simples princípios do sufrágio feminino para a questão da natureza do sufrágio e reivindiquemos o sufrágio universal para todos os adultos, a entusiástica canção da *sisterhood* morre. A diferença da posição de classe social é responsável pelo fato de que nem sequer o movimento de mulheres burguesas se mantém unido na reivindicação do sufrágio, pois as da classe mais alta não sentem fortemente a necessidade de igualdade política com o homem.

(...) As mulheres burguesas estão demandando em primeiro lugar direitos para as "*senhoras*" e não para as mulheres. Não estão lutando pela emancipação do sexo feminino como tal, mas somente como representantes das mulheres burguesas e dos interesses comuns de toda a classe burguesa. Evidentemente, têm direito de fazê-lo. O que eu protesto é contra a hipocrisia e a confusão com que declaram que seu objetivo se funda no interesse de todo o sexo feminino. (...) As operárias, na sua luta pela emancipação política, não podem contar com as mulheres burguesas como aliadas em quem podem confiar. Devem ter a convicção de que em sua luta pela completa emancipação social e política só devem confiar em sua força e no poder de sua classe.

(...) Todo o proletariado deve levantar o grito de "Abaixo com as barreiras legais que privam as mulheres da igualdade de direitos políticos!". Essa reivindicação deve ser feita para dar às mulheres todos os direitos de um cidadão e, assim, as mulheres proletárias poderão tomar parte, tanto na luta econômica quanto na luta política, tão bem armadas quanto os homens. (...) A social-democracia, a força política do proletariado, inclui o sufrágio feminino no seu programa e o defende ativamente porque entende as condições de vida do proletariado. (...) A social-democracia defende o sufrágio feminino como uma necessidade social para as mulheres (...) e reivindica o sufrágio feminino como justiça social e como a mais lógica representação do princípio democrático.

(...) No entanto, há dúvidas sobre a aprovação do voto feminino: os homens o veem como um perigo porque pensam que, graças aos votos das mulheres analfabetas, o clero poderia incrementar sua força política, o que prejudicaria os interesses do proletariado. (...) Contudo, nós reivindicamos o voto universal, não como recompensa pela maturidade política, mas sim como um meio efetivo de educar e organizar as massas. Vamos garantir o direito ao voto somente para aqueles educados politicamente? Se é assim, deveríamos negar o direito ao voto a um elevado número de cidadãos legalmente qualificados para isso. (...) Portanto, é nosso dever, através do trabalho intensivo de educação e organização, fazer crescer em nossas mulheres trabalhadoras a maturidade e a inteligência política para que seja impossível que as forças reacionárias contem com seus votos.

(...) As mulheres da social-democracia [alemã] recusamos colocar o interesse de nosso sexo acima dos interesses da classe trabalhadora em nossa luta. Não reivindicamos uma ação especial pelo sufrágio das mulheres da social-democracia. Somente reivindicamos que nossas companheiras cumpram com seu dever na luta geral pelo voto dos adultos. (...) Estamos convencidas de que, assim, a massa do proletariado se mobilizará pelo voto feminino. (...) Levamos nossa luta, não como uma batalha entre sexos, mas como uma batalha contra o poder político opressivo da classe proprietária, mas como uma batalha que levamos a cabo como último recurso, com todos os explorados, todos os deserdados, sem distinção de sexo; uma batalha cuja importância se funda, antes de mais nada, no fato de que leva à massa do proletariado o conhecimento de sua missão histórica e de seu poder social (...).

Resolução apresentada à Conferência

A reivindicação pelo voto feminino deriva da transformação econômica e social causada pelo sistema de produção capitalista, especialmente das mudanças ocorridas no trabalho, na posição social e no destino das mulheres. (...) Prova disso é o elevado número de mulheres que têm de ganhar a vida, especialmente as mulheres operárias que ingressaram na indústria moderna. O voto feminino está necessariamente ligado à emancipação econômica da mulher de suas tarefas domésticas e de sua dependência econômica da família e ao incremento da força de sua atividade como assalariada.

O sufrágio significa para o sexo feminino, em seu conjunto, o reconhecimento de sua maturidade social e é o meio para obter poder político e, portanto, para eliminar os obstáculos legais e sociais que estão em seu caminho para o desenvolvimento de sua vida e de suas atividades. Mas, devido aos antagonismos de classe, que são tão decisivos no mundo das mulheres como são no dos homens, o valor e principal objetivo do voto são diferentes para as mulheres das diferentes classes sociais. O valor do sufrágio como uma arma na luta social está em proporção inversa ao tamanho da riqueza possuída pelo poder individual e social conferido por essa riqueza. Seu principal objetivo difere segundo a posição social: é tanto a completa igualdade legal do sexo feminino, como a emancipação social do proletariado, através da conquista do poder político com o propósito de abolir o Estado de classes e criar a sociedade socialista, a única que garante a completa emancipação da mulher como ser humano.

(...) As mulheres operárias, portanto, devem confiar somente em sua própria força e na de sua classe para conquistar seus direitos políticos completos. (...) A social-democracia, como a única organização política que apoia a consciência de classe do proletariado, portanto, deve apoiar o voto feminino tanto como questão de princípio como questão prática. (...) Nos partidos reacionários a tendência aponta para o fortalecimento do poder político da riqueza, através da aprovação do voto feminino limitado. Para o proletariado, a necessidade é que se revolucionem as mentes das mulheres e que se obtenha sua colaboração na luta. A luta pelo sufrágio universal feminino é o melhor meio para atrair as mulheres para a luta do proletariado pela liberdade.

Considerando esses fatos históricos, a 4ª Conferência de Mulheres Socialistas de Mannheim resolve: na luta que o proletariado está travando pela aprovação do voto universal, igualitário, secreto e direto para a administração local e para o Parlamento, o sufrágio feminino deve ser exigido, mantido como um princípio de agitação e reivindicado com toda energia.

A Conferência de Mulheres declara ainda que é dever das camaradas mulheres tomar parte nas lutas políticas pelo voto e todo esforço deve ser feito para conduzir a massa de mulheres trabalhadoras a essas batalhas, para que a questão possa ser revolvida o quanto antes.

Declaração de Seneca Falls*

Resolução aprovada pelas 68 mulheres e 32 homens presentes à convenção realizada na Wesleyan Chapel, Seneca Falls, Estado de Nova York, nos dias 19 e 20 de julho de 1848**

Declaração de sentimentos

Quando no curso dos acontecimentos da humanidade se faz necessário a uma parte da família do homem assumir, entre os poderes da Terra, uma posição diferente daquela que até então ocupou, mas uma posição a que lhe dão direito as leis da natureza e as do Deus da natureza, o digno respeito para com a opinião da humanidade exige que declare as causas que a impele à tomada dessa medida.

Consideramos que essas verdades são evidentes em si mesmas: que todos os homens e mulheres são criados iguais; são dotados pelo Criador de certos direitos inalienáveis, entre os quais figuram a vida, a liberdade e a busca da felicidade; que, para assegurar esses

---

* Nota da edição espanhola: O texto original, em inglês, foi obtido pela internet, através da Close up Foundation <www.closeup.org/sentimnt.htm>. A versão traduzida foi obtida de Amalia Martín Gamero, Antologia do Feminismo, Madri: Alianza, 1975, p. 52-57.

** Tradução feita a partir do original em inglês, cotejada com a versão espanhola presente no livro. Original em inglês disponível na internet em: <http://gos.sbc.edu/s/stantoncady4.html>. O parágrafo marcado com (*) não consta da edição espanhola.
O texto da declaração aprovada na Convenção de Seneca Falls retomou a linguagem e os argumentos do texto da Declaração de Independência dos Estados Unidos, para denunciar a opressão das mulheres e defender a igualdade entre mulheres e homens. É reconhecido como o primeiro documento coletivo do movimento de mulheres estadunidenses. (N.T.)

direitos, se instituem governos, cujos justos poderes derivam do consentimento dos governados. Sempre que qualquer forma de governo se torne lesiva a esses fins, aqueles que sofrem por isso têm o direito de negar-lhe a lealdade e de insistir no estabelecimento de um novo governo, cujas bases estejam assentadas em tais princípios e cujos poderes estejam organizados da maneira que lhes pareça mais adequada para garantir sua segurança e felicidade.

A prudência, certamente, recomenda que os governos instituídos há tempos não sejam abatidos por causas passageiras ou ligeiras; e, nesse sentido, a experiência tem demonstrado que a humanidade está mais predisposta a sofrer enquanto os males forem suportáveis do que corrigir-se, abolindo as formas às quais está acostumada. Mas quando uma longa cadeia de abusos e usurpações, perseguindo invariavelmente o mesmo objeto, evidencia a intenção de submetê-la a um despotismo absoluto, é seu dever derrubar tal governo e prover novas salvaguardas para sua segurança futura. Tal tem sido o paciente sofrimento das mulheres sob esse governo e tal é agora a necessidade que as obriga a exigir a condição de igualdade a que têm direito.

A história da humanidade é a história das repetidas injúrias e usurpações por parte dos homens sobre as mulheres e cujo objetivo direto é o estabelecimento de uma tirania absoluta sobre ela. Para demonstrar isso, permitam-nos submeter os fatos a um mundo imparcial.

O homem nunca permitiu a ela exercer o direito inalienável do voto.

Ele a obrigou a submeter-se a leis em cuja elaboração ela não tem voz.

Negou a ela direitos que se concedem a homens os mais ignorantes e indignos – sejam nascidos no país ou estrangeiros.

Tendo privado a mulher desse primeiro direito de todo cidadão, o do sufrágio, deixando-a, assim, sem representação nas instituições legislativas, ele a oprimiu sob todos os ângulos.

Se ela é casada, ele a condenou à morte civil diante da lei.

Ele a expropriou de todo direito de propriedade, inclusive sobre o salário que ela mesma ganha.

Ele a converteu, moralmente, em um ser irresponsável, já que pode cometer toda sorte de delitos com impunidade contanto que sejam cometidos na presença de seu marido. No contrato de casamento, ela é obrigada a prometer obediência a seu marido, fazendo com que ele se converta, para todos os fins e propósitos, em seu amo – já que a lei dá a ele o poder de privá-la de sua liberdade e impor-lhe castigos.

E elaborou de tal maneira as leis do divórcio – em relação ao que devem ser seus motivos, e em caso de separação, a quem se há de conceder a guarda dos filhos – de forma que não se leva em conta a felicidade das mulheres, pois a lei se baseia, em todos os casos, na falsa suposição de supremacia do homem, deixando todo o poder em suas mãos.

Depois de despojá-la de todos os direitos como mulher casada, se ela é solteira e possui fortuna, ele a taxa com impostos para sustentar um governo que a reconhece apenas quando seus bens podem lhe ser rentáveis.

Ele monopolizou quase todos os empregos lucrativos e, naqueles que é permitido a ela exercer, não recebe mais que uma remuneração miserável. Ele lhe fechou todos os caminhos que conduzem à fortuna e à distinção, e que ele considera mais honrosos para ele. Não lhe é permitido ser professora de Medicina, Teologia ou Direito.

Negou a elas a possibilidade de receber uma educação ampla, posto que todas as faculdades estão fechadas para ela.

Ela é aceita na igreja, bem como no Estado, mas em uma posição subordinada, pois se alega autoridade apostólica para excluí-la do ministério religioso e, salvo raras exceções, de toda participação pública nos assuntos da igreja.

Criou-se um falso sentimento público ao dar ao mundo um código moral diferente para os homens e mulheres, segundo o qual certos delitos morais que excluem as mulheres da sociedade não apenas são tolerados nos homens, como se consideram de pouca importância no caso deles.

Ele usurpou as prerrogativas do próprio Jeová ao clamar para si o direito de estabelecer os limites da esfera de ação da mulher, quando isso é privativo de sua consciência e de seu Deus.

Ele se empenhou, com todos os meios a seu alcance, em destruir a confiança dela em suas próprias capacidades, diminuir seu autorrespeito e em fazer com que ela estivesse disposta a levar uma vida indigna e de dependência.

Assim, em vista dessa total privação de direitos de metade do povo deste país, de sua degradação social e religiosa – por causa das leis injustas já mencionadas – e porque as mulheres se sentem humilhadas, oprimidas e fraudulentamente expropriadas de seus mais sagrados direitos, insistimos que sejam imediatamente garantidos a elas todos os direitos e privilégios que lhes pertencem como cidadãs dos Estados Unidos.

Ao empreender a grande tarefa que temos diante nós, sabemos de antemão que não faltarão os conceitos errôneos, as más interpretações e as ridicularizações; mas usaremos de todos os meios a nosso alcance para conseguir nosso objetivo. Utilizaremos agentes, circularemos panfletos, apresentaremos petição às câmaras legislativas estaduais e nacionais e nos empenharemos em atrair os púlpitos e a imprensa para a defesa de nossa posição. Esperamos que esta convenção seja seguida por várias outras convenções em todos os cantos do país.

Resoluções

Considerando que o grande preceito da natureza é que "o homem há de perseguir sua verdadeira e substancial felicidade". Blackstone, em seus *Comentários*, assinala que, posto que essa lei da natureza é contemporânea da humanidade e foi ditada por Deus, ela tem, evidentemente, primazia sobre qualquer outra. É obrigatória em toda a Terra, em todos os países e em todos os tempos; nenhuma lei humana tem validade se a contradiz, e aquelas que são válidas derivam dela toda sua legitimidade e sua força, e toda a sua autoridade advém, direta e indiretamente, dessa origem; portanto:

- Fica resolvido: Que todas aquelas leis que entrem em conflito, de alguma maneira, com a verdadeira e substancial felicidade da mulher são contrárias ao grande preceito da natureza e não têm validade, pois esse "preceito tem primazia sobre qualquer outro".
- Fica resolvido: Que todas as leis que impeçam que a mulher ocupe na sociedade a posição que sua consciência lhe dite, ou que a situe em uma posição inferior à do homem, são contrárias ao grande preceito da natureza e, portanto, não têm força e nem autoridade.
- Fica resolvido: Que a mulher é igual ao homem porque assim quis o Criador, e porque o bem maior da raça humana exige que ela assim seja reconhecida.
- Fica resolvido: Que as mulheres deste país devem ser informadas quanto às leis sob as quais vivem, que elas podem não mais proclamar sua degradação, declarando-se satisfeitas com sua situação atual e com a sua ignorância, ao afirmar que têm todos os direitos que desejam.
- Fica resolvido: Que uma vez que o homem, ao se pretender superior intelectualmente, admite que a mulher o é moralmente, é um dever primordialmente dele incentivá-la a falar e a pregar, sempre que possível, nas assembleias religiosas.
- Fica resolvido: Que a mesma porção de virtude, delicadeza e refinamento de comportamento que se exige da mulher na sociedade deve também ser exigida do homem, e as mesmas infrações julgadas com igual severidade tanto para o homem quanto para a mulher.
- Fica resolvido: Que a crítica de indelicadeza e impropriedade tão frequentemente feita à mulher quando ela fala em público, provém, com muita má fé, daqueles que a encorajam, com sua audiência, a aparecer nos palcos, nos concertos e nos espetáculos de circo.
- Fica resolvido: Que a mulher se manteve satisfeita por tempo demais nos limites circunscritos que os costumes corrompidos e uma interpretação distorcida das Sagradas Escrituras prescreviam para ela, e que é chegada a hora de que ela passe a atuar nas esferas mais amplas que seu grande Criador lhe atribuiu.

- Fica resolvido: Que é dever das mulheres deste país assegurar a si mesmas o sagrado direito do voto.
- Fica resolvido: Que a igualdade dos direitos humanos é consequência necessária do fato de que toda a raça humana é idêntica quanto às capacidades e responsabilidades.
- Fica resolvido: Que o pronto sucesso de nossa causa depende dos esforços cuidadosos e incansáveis de homens e mulheres para derrubar o monopólio do púlpito e para assegurar à mulher uma participação igualitária nos vários empreendimentos, profissões e no comércio.
- Fica resolvido, portanto: Que havendo recebido do criador os mesmos dons e a mesma consciência da responsabilidade para exercê-los, está demonstrado que a mulher tem o dever e o direito, assim como o homem, de promover toda causa justa por todos os meios justos; e especialmente no que se refere aos grandes assuntos religiosos e morais, é autoevidente que a mulher tem o direito de participar do seu ensino juntamente com seu irmão, tanto no espaço público como no privado, por escrito ou oralmente, valendo-se de qualquer meio adequado, ou que seja próprio para qualquer tipo de assembleia. E por ser essa uma verdade evidente que emana dos princípios divinos da natureza humana, qualquer costume ou autoridade que lhe seja adversa, tanto moderna quanto vestida da respeitosa sanção da antiguidade, deve ser considerada uma evidente falsidade e em guerra contra a humanidade.

O Dia das Mulheres*

Alexandra Kollontai

Artigo publicado no *Pravda* em 17/2/1913**

O que é o "Dia das Mulheres"? É realmente necessário? Não é uma concessão às mulheres da burguesia, às feministas e sufragistas? Não é prejudicial para a unidade do movimento operário? Tais questões ainda podem ser ouvidas na Rússia, embora não se escutem mais no estrangeiro. A própria vida já proporcionou uma resposta clara e eloquente.

O "Dia das Mulheres" é um elo na longa e sólida cadeia do movimento de mulheres proletárias. O exército organizado de mulheres proletárias cresce a cada ano. Vinte anos atrás, os sindicatos continham somente pequenos grupos de trabalhadoras espalhadas aqui e ali nas fileiras do partido dos trabalhadores (...). Agora, os sindicatos ingleses têm mais de 292 mil filiadas; na Alemanha, aproximadamente 200 mil estão no movimento sindical e 150 mil no partido dos trabalhadores, e na Áustria há 47 mil nos sindicatos e quase 20 mil no partido. Em todos os países – Itália, Hungria, Dinamarca, Suécia, Noruega e Suíça – as

---

* A versão em inglês consultada para a edição espanhola encontra-se em I.M Dazhina, Alexandra Kollontai. *Selected Articles and Speeches.* New York: International Publishers, 1984, p. 62-65.

** Tradução feita a partir do original em inglês, cotejada com a versão espanhola presente no livro. Original em inglês disponível na internet em: <www.marxists.org/archive/kollonta/1913/womens-day.htm>. (N.T.)

mulheres da classe trabalhadora estão se organizando. O exército de mulheres socialistas tem quase um milhão de membros. Uma força poderosa! Uma força com a qual os poderes deste mundo devem contar quando o que se discute são as questões do custo da vida, o seguro para a maternidade, o trabalho infantil e uma legislação que proteja o trabalho feminino.

Houve um tempo em que os trabalhadores homens pensavam que eles sozinhos deveriam levar sobre seus ombros o peso da luta contra o capital, que eles sozinhos deveriam se ocupar do "velho mundo", sem a ajuda de suas companheiras mulheres. Contudo, quando as mulheres da classe operária passaram a fazer parte do conjunto daqueles que vendem seu trabalho, forçada a entrar no mercado de trabalho pela necessidade, porque o esposo ou o pai está desempregado, os operários acordam e se dão conta de que afastar as mulheres do conjunto dos que têm consciência de classe representa um dano para sua causa e corrigem essa atitude. Quanto maior for o número de lutadores conscientes, maiores serão as oportunidades de êxito. Que nível de consciência possui uma mulher cujo lugar está na cozinha, que não tem direitos na sociedade, no Estado ou na família? Não tem suas próprias ideias! Faz tudo como lhe ordena seu pai ou seu esposo...

O atraso e a falta de direitos sofridos pelas mulheres, sua submissão e indiferença, não beneficiam a classe trabalhadora, na verdade, a prejudicam diretamente. Mas, como se vai atrair a trabalhadora para o movimento, como ela vai ser despertada?

A social-democracia no exterior não encontrou a solução correta imediatamente. As organizações de trabalhadores estavam abertas às mulheres trabalhadoras, mas só algumas poucas entravam. Por quê? Porque a classe trabalhadora, a princípio, não se dava conta de que a mulher trabalhadora é o membro, social e legalmente, mais privado de direitos desta classe, que tem sido explorada, intimidada, perseguida durante séculos e que para estimular sua mente e seu coração é necessária uma aproximação especial, palavras que ela possa entender como mulher. Os operários não reconheceram que, neste mundo de falta de direitos e de exploração, a mulher é oprimida, não somente como quem vende seu trabalho, mas também como mãe, como mulher. (...) No entanto, quando o partido socialista dos trabalhadores entendeu isso, se encarregou de maneira firme da defesa das mulheres nos dois aspectos, como trabalhadora e como mulher e mãe.

Os socialistas de todos os países começaram a reivindicar proteção especial ao trabalho feminino, seguro para as mães e crianças, direitos políticos para as mulheres e a defesa dos interesses das mulheres.

Quanto mais claramente o partido dos trabalhadores perceba este segundo objetivo em conexão com as trabalhadoras, com mais ânimo as mulheres se unirão ao partido, tanto mais perceberão o partido como seu verdadeiro defensor, que a classe trabalhadora está lutando também pelas urgentes necessidades exclusivamente femininas. As próprias trabalhadoras, organizadas e conscientes, têm feito muito para explicitar este objetivo. Atualmente, a principal carga de trabalho para atrair mais trabalhadoras ao movimento socialista recai sobre as mulheres. Os partidos de todos os países têm seus comitês especiais das mulheres, secretariados e departamentos. Estes comitês fazem o trabalho junto à imensa população feminina que ainda não tem consciência política, elevam a consciência das trabalhadoras e as organizam. Também examinam as questões e reivindicações que afetam mais de perto as mulheres: proteção e apoio para as grávidas e as que acabaram de ser mães, a regulamentação legal do trabalho feminino, a campanha contra a prostituição e a mortalidade infantil, a reivindicação de direitos políticos para as mulheres, melhoria de moradia, campanha contra o aumento do custo de vida etc.

Assim, as trabalhadoras, como membros do partido, lutam pela causa comum da classe, ao mesmo tempo em que organizam e propõem as necessidades e reivindicações que mais as afetam como mulheres, esposas e mães. O partido apoia essas reivindicações e luta por elas (...). As exigências das mulheres trabalhadoras são parte integrante da causa comum dos trabalhadores!

No "Dia das Mulheres" as trabalhadoras organizadas se manifestam contra sua falta de direitos.

Mas alguém dirá: porque este tratamento especial às mulheres trabalhadoras? Por que "Dias das Mulheres" especiais, panfletos especiais para as trabalhadoras, reuniões e conferências das mulheres trabalhadoras? Não é isto, em última instância, uma concessão às feministas e sufragistas burguesas?

Somente aqueles que não entendem a diferença radical entre o movimento de mulheres socialistas e as sufragistas burguesas podem pensar assim.

Qual é o objetivo das feministas? Seu propósito é alcançar as mesmas vantagens, o mesmo poder, os mesmos direitos dentro da sociedade capitalista que seus maridos, pais e irmãos possuem agora. Qual é o objetivo das mulheres trabalhadoras? Seu propósito é abolir todos os privilégios que derivam do nascimento ou da riqueza. Para a mulher operária é um problema indiferente quem é o "chefe" – um homem ou uma mulher. Junto ao conjunto de sua classe, ela pode melhorar sua posição como trabalhadora.

As feministas reivindicam direitos iguais sempre e em todo lugar. As mulheres trabalhadoras respondem: reivindicamos direitos para todos os cidadãos, homens e mulheres, mas não estamos preparadas para esquecer que não somos apenas trabalhadoras e cidadãs, somos também mães! E como mães, como mulheres que damos a luz ao futuro, reivindicamos uma preocupação especial em relação a nós e nossos filhos, proteção especial por parte do Estado e da sociedade.

As feministas estão se esforçando para alcançar direitos políticos. Todavia, aqui também nossos caminhos se separam.

Para as burguesas, os direitos políticos são simplesmente um meio que lhes permite trilhar seu caminho de forma mais conveniente e com mais segurança em um mundo fundado sobre a exploração dos trabalhadores. Para as trabalhadoras, os direitos políticos são um passo no longo e difícil caminho que as leva ao almejado reino do trabalho.

Os caminhos trilhados pelas socialistas e pelas burguesas sufragistas se separaram desde muito tempo. Há uma enorme diferença entre os objetivos que a vida coloca diante delas. Há uma imensa contradição entre os interesses da trabalhadora e da senhora proprietária, entre a empregada doméstica e a patroa. (...) Não há nem pode haver pontos de contatos, conciliação ou convergência entre elas. Portanto, os trabalhadores não deveriam temer os Dias das Mulheres específicos, as conferências especiais das trabalhadoras e nem sua imprensa especializada.

Cada forma especial, distinta, de trabalho entre as mulheres da classe trabalhadora é simplesmente um meio de aumentar a consciência da mulher trabalhadora e de introduzi-la nas fileiras daqueles que lutam por um futuro melhor (...). Os Dias das Mulheres e o lento e meticuloso trabalho realizado para elevar a autoconsciência da mulher trabalhadora estão servindo à causa, não da divisão, mas sim da unificação da classe trabalhadora.

Desejamos que um sentimento alegre de servir à causa comum da classe e de lutar simultaneamente pela emancipação feminina inspire as mulheres trabalhadoras a se unir na celebração do "Dia das Mulheres".

Dia Internacional das Mulheres Trabalhadoras[*]

V. I. Lenin

Artigo publicado no Pravda, em 8 de março de 1921
por ocasião da comemoração do Dia Internacional da Mulher[**]

A essência do bolchevismo e da Revolução Russa de outubro é envolver, na atividade política, aqueles que eram os mais oprimidos sob o capitalismo. Foram humilhados, enganados e roubados pelo capitalismo, tanto nas monarquias como nas repúblicas democráticas burguesas. Sempre que a terra e as fábricas foram propriedades privadas, essa opressão, esse engano e o roubo do trabalho do povo pelos capitalistas eram inevitáveis.

A essência do bolchevismo e do poder soviético é expor a falsidade e a hipocrisia da democracia burguesa, abolir a propriedade privada da terra e das fábricas e concentrar todo o poder do Estado nas mãos das massas de trabalhadores e explorados. Essas

---

* Nota da edição espanhola: Foram localizadas três versões do mesmo artigo, que não coincidem na tradução do título. A versão que aparece no *The Emancipation of Women from the Writings of V. I. Lenin* (New York: International Publishers, 1995), p. 83-85 e a que aparece em Lenin, V. I., *Soviet Power and the Status of Women. International Working Women's Day* (Moscou: Progress Publishers, 1972), p. 7-9, o intitulam como "Dia Internacional das Mulheres Trabalhadoras". Diferentemente, outra edição mais antiga desta obra, editada em 1954, o intitula simplesmente como "Dia Internacional das Mulheres".

** Tradução feita a partir do inglês, cotejada com a versão espanhola presente no livro. Texto em inglês: *Collected Works*, 1st English Edition, Progress Publishers, Moscou, 1965, v. 32, p. 161-163, disponível em <www.marxists.org/archive/lenin>. (N.T.)

massas tomam a política em suas mãos, isto é, assumem a tarefa de construir a nova sociedade. Não é uma tarefa fácil: a massa de trabalhadores foi humilhada e oprimida pelo capitalismo, mas não há outra maneira – e não pode haver – para sair da escravidão do salário e da escravidão do capitalismo.

Porém, não se pode envolver a massa trabalhadora na política sem fazer o mesmo com as mulheres. Porque a metade feminina da raça humana é duplamente oprimida pelo capitalismo. A operária e a mulher camponesa são oprimidas pelo capital, mas primeiro, e acima de tudo, inclusive na mais democrática república burguesa, permanecem, primeiramente, privadas de alguns direitos porque a lei não lhes concede igualdade com os homens; e, em segundo lugar – e este é o aspecto mais importante – permanecem "escravas do trabalho doméstico", continuam sendo "escravas domésticas", porque estão sobrecarregadas com a monotonia do mais mesquinho, duro e degradante trabalho na cozinha e nas tarefas domésticas familiares.

Nenhum partido ou revolução no mundo jamais sonhou em cortar tão profundamente as raízes da opressão e da desigualdade das mulheres como o soviético, como a Revolução Bolchevique está fazendo. Aqui, na Rússia Soviética, não sobrou nenhum rastro de desigualdade entre homens e mulheres perante a lei. O poder soviético eliminou por completo o que havia na desigualdade particularmente repugnante, básica e hipócrita existente nas leis do matrimônio e da família e a desigualdade em relação às crianças.

Este é só o primeiro passo na libertação da mulher. Mas nenhuma das repúblicas burguesas, incluindo as mais democráticas, se atreveu a dar nem sequer o primeiro passo. A razão é o respeito à "sacrossanta propriedade privada".

O segundo e mais importante passo é a abolição da propriedade privada da terra e das fábricas. Isso, e somente isso, abre o caminho para a emancipação completa e efetiva da mulher, sua libertação da "escravidão doméstica" através da transição do mesquinho trabalho doméstico individualizado para serviços domésticos socializados de larga escala.

Esta transição é difícil porque supõe a remodelação da mais arraigada, antiga, restritiva e enrijecida "ordem" ("indecência" e "barbaridade" estariam mais próximas da verdade). Mas a transição já foi iniciada, o processo foi posto em marcha, tomamos o novo caminho.

E assim, neste Dia Internacional das Mulheres Trabalhadoras, inúmeras reuniões de operárias em todos os países do mundo enviarão felicitações à Rússia Soviética, que foi a primeira a enfrentar esta tarefa incrivelmente dura e sem paralelo, uma tarefa que é universalmente grandiosa e verdadeiramente libertadora. Haverá chamamentos encorajadores para que não se perca a força ao enfrentar a reação burguesa, feroz e frequentemente selvagem. Quanto mais "livre" e mais "democrático" for o país burguês, mais selvagem a atuação de sua gangue de capitalistas contra a revolução dos operários; um exemplo disso é a república democrática dos Estados Unidos da América do Norte. Mas as massas de trabalhadores já despertaram. As adormecidas, sonolentas e inertes massas de trabalhadores na América, Europa e, inclusive, na abandonada Ásia foram despertadas pela guerra imperialista.

O gelo foi quebrado em cada canto do mundo.

Nada pode parar a marcha da libertação dos povos do jugo imperialista, nem a libertação dos trabalhadores e das trabalhadoras do jugo do capital. A causa está sendo levada adiante por dezenas e centenas de milhões de trabalhadores e trabalhadoras no campo e na cidade. Por isso é que esta causa da liberdade do trabalho do jugo do capital triunfará em todo o mundo.

Dia Internacional das Mulheres*

Alexandra Kollontai

Texto publicado em Moscou em 1920, por ocasião da comemoração do Dia Internacional das Mulheres

Uma comemoração militante

O Dia das Mulheres ou Dia das Mulheres Trabalhadoras é um dia de solidariedade internacional, e um dia para rever a força e organização das mulheres proletárias.

Mas não é um dia especial somente para as mulheres. O 8 de março é um dia histórico e memorável para os trabalhadores e para os camponeses, para todos os trabalhadores russos e para os trabalhadores de todo o mundo. Em 1917, neste dia, a grande revolução de fevereiro** eclodiu. Foram as mulheres trabalhadoras de Petersburgo que iniciaram esta revolução; foram elas as primeiras a decidir levantar a bandeira de oposição ao tsar e seus aliados. E, por isso, o dia das mulheres trabalhadoras é, para nós, uma dupla comemoração.

---

* Anexo acrescentado à edição brasileira. Traduzido da versão em inglês disponível no site <www.marxists.org/archive/kollonta/1920/womens-day>. Acesso em 5 jan. 2010. Foram mantidas as notas da versão em inglês. (N.T.)

** A Rússia tsarista ainda utilizava o antigo calendário "Juliano", da Idade Média, que registra 13 dias antes que o calendário "Gregoriano", utilizado na maior parte do mundo. Assim, o dia 8 de março correspondia ao dia "23 de fevereiro" no calendário antigo. É por isso que a revolução de março de 1917 é chamada de "Revolução de Fevereiro" e a ocorrida em novembro de 1917 é chamada de "Revolução de Outubro".

Mas se esta é uma data comemorativa para todo o proletariado, por que chamamos de "Dia das Mulheres"? Por que então realizamos comemorações especiais e encontros dirigidos especialmente às mulheres operárias e às camponesas? Isso não ameaça a unidade e a solidariedade da classe trabalhadora? Para responder a essas questões, devemos olhar para a história e ver como o Dia das Mulheres surgiu e em torno de qual propósito ele se organizou.

Como e por que o Dia das Mulheres foi organizado?

Há pouco tempo atrás, na verdade há cerca de dez anos, a questão da igualdade das mulheres e a indagação se as mulheres podiam participar dos governos lado a lado com os homens eram debatidas intensamente. A classe trabalhadora nos países capitalistas lutava pelos direitos das mulheres trabalhadoras: a burguesia não aceitava esses direitos. A burguesia não tinha interesse em fortalecer o voto da classe trabalhadora no parlamento; e em todos os países dificultava-se a aprovação de leis que concediam o direito de voto às mulheres trabalhadoras.

Os socialistas na América do Norte insistiram na reivindicação do voto com uma persistência particular. No dia 28 de fevereiro de 1909, as mulheres socialistas dos Estados Unidos organizaram enormes manifestações e encontros em todo o país reivindicando direitos políticos para as mulheres trabalhadoras. Este foi o primeiro "Dia da Mulher". A iniciativa de organizar um dia da mulher coube, assim, às mulheres trabalhadoras da América.

Em 1910, na Segunda Conferência Internacional das Mulheres Trabalhadoras, Clara Zetkin* propôs organizar um Dia Internacional das Mulheres Trabalhadoras. A Conferência decidiu que todos os anos, em todos os países, seria comemorado, na mesma data, o "Dia das Mulheres" com a palavra de ordem "O direito de voto para as mulheres unificará nossa força na luta pelo socialismo".

---

* Clara Zetkin era dirigente do movimento socialista alemão e a principal liderança do movimento internacional de mulheres trabalhadoras. Kollontai participou como delegada da conferência internacional representando as trabalhadoras têxteis de São Petersburgo.

Durante esses anos, a questão de tornar o parlamento mais democrático, isto é, de ampliar a população votante e estender o voto para as mulheres, era uma questão vital. Mesmo antes da Primeira Guerra Mundial, os trabalhadores tinham direito ao voto em todos os países burgueses com exceção da Rússia*. Apenas as mulheres, ao lado dos deficientes mentais, permaneciam sem este direito. No entanto, a dura realidade do capitalismo exigia a participação das mulheres na economia dos países. A cada ano, aumentava o número de mulheres empregadas em fábricas e oficinas ou como trabalhadoras domésticas e faxineiras. As mulheres trabalhavam lado a lado com os homens e a riqueza do país era produzida por suas mãos. Porém, elas permaneciam sem direito ao voto.

Mas nos últimos anos antes da guerra, a alta dos preços forçou inclusive as donas de casa mais pacíficas a se envolver com questões políticas e a protestar veementemente contra a economia de espoliação da burguesia. "Levantes de donas de casas" tornaram-se cada vez mais frequentes, pipocando em diferentes momentos na Áustria, Inglaterra, França e Alemanha.

As mulheres trabalhadoras compreenderam que não era suficiente quebrar as bancas no mercado ou ameaçar o detestável comerciante: elas compreenderam que tais ações não abaixariam o custo de vida. É necessário mudar a política do governo. E para conquistar isso, a classe trabalhadora precisa fazer com que a população votante seja ampliada.

Decidiu-se realizar o Dia da Mulher em todos os países como uma forma de luta para conquistar o direito de voto para as mulheres trabalhadoras. Esse devia ser um dia de solidariedade internacional na luta por objetivos comuns e um dia para revisar a força organizada das mulheres trabalhadoras sob a bandeira do socialismo.

---

* Não era exatamente assim. A grande maioria dos trabalhadores não especializados na Inglaterra, na França e na Alemanha não podiam votar. Uma percentagem menor de homens da classe trabalhadora nos Estados Unidos não podia votar – em particular imigrantes. No Sul dos Estados Unidos, os homens negros eram frequentemente impedidos de votar. Os movimentos de classe média pelo sufrágio em todos os países europeus não lutavam para garantir o voto da classe trabalhadora, fossem homens ou mulheres.

O primeiro Dia Internacional das Mulheres

A decisão tomada na Segunda Conferência Internacional de Mulheres Socialistas não ficou no papel. Decidiu-se organizar o primeiro Dia Internacional das Mulheres em 19 de março de 1911.

Essa data não foi escolhida por acaso. Nossas camaradas alemãs escolheram o dia por sua importância histórica para o proletariado alemão. Em 19 de março, no ano da revolução de 1848, o rei da Prússia reconheceu pela primeira vez a força do povo armado e cedeu diante da ameaça de uma insurreição do proletariado. Entre as várias promessas que ele fez, que posteriormente não cumpriu, estava a introdução do direito de voto para as mulheres.

Depois de 11 de janeiro, muitos esforços foram feitos na Alemanha e na Áustria para preparar o Dia das Mulheres. Os planos de uma manifestação foram divulgados tanto boca a boca como pela imprensa. Durante a semana que precedeu o Dia das Mulheres surgiram dois jornais: o *Voto para as mulheres*, na Alemanha, e o *Dia das Mulheres*, na Áustria. Os vários artigos dedicados ao Dia das Mulheres – "Mulheres e o Parlamento", "As mulheres trabalhadoras e as questões municipais", "O que uma dona de casa tem a ver com a política?" etc. – analisavam detalhadamente a questão da igualdade das mulheres no governo e na sociedade. Todos os artigos enfatizavam o mesmo ponto: era absolutamente necessário estender o direito ao voto para as mulheres para tornar o parlamento mais democrático.

O primeiro Dia Internacional das Mulheres aconteceu em 1911. Seu sucesso ultrapassou todas as expectativas. No Dia das Mulheres Trabalhadoras a Alemanha e a Áustria pareciam um mar de mulheres em efervescência e agitação. Foram organizados encontros em todos os lugares – nas cidades pequenas e até nos vilarejos os auditórios ficaram tão cheios que elas tiveram que solicitar que os trabalhadores homens cedessem lugar às mulheres.

Essa foi, certamente, a primeira demonstração da militância das mulheres trabalhadoras. Os homens ficaram em casa com seus filhos, para variar, e suas esposas, as donas de casa prisioneiras, foram às reuniões. Durante a maior manifestação de rua, da qual participaram 30 mil, a polícia decidiu tomar as bandeiras das manifestantes: as mulheres trabalhadoras protestaram. No tumulto que se seguiu, o derramamento de sangue só foi evitado com a ajuda dos deputados socialistas do parlamento.

Em 1913 o Dia Internacional das Mulheres foi transferido para o dia 8 de março. Este dia permaneceu como o dia de luta das mulheres trabalhadoras.

O DIA DAS MULHERES É NECESSÁRIO?

O Dia das Mulheres na América e na Europa teve resultados impressionantes. É verdade que nenhum parlamento burguês cogitou fazer qualquer concessão aos trabalhadores ou responder às reivindicações das mulheres. Naquela época, a burguesia não estava ameaçada por uma revolução socialista.

Mas o Dia das Mulheres teve uma conquista. Transformou-se, acima de tudo, em um excelente método de agitação entre as nossas companheiras proletárias menos politizadas. Elas não podiam deixar de prestar atenção nas reuniões, manifestações, cartazes, panfletos e jornais dedicados ao Dia das Mulheres. Até a mulher trabalhadora mais atrasada politicamente pensava consigo: "Este é nosso dia, o festival das mulheres trabalhadoras", e corria para as manifestações e reuniões. Depois de cada Dia das Mulheres Trabalhadoras, mais mulheres se juntavam aos partidos socialistas e os sindicatos cresceram. As organizações avançaram e a consciência política se desenvolveu.

O Dia das Mulheres cumpriu ainda outro papel: fortaleceu a solidariedade internacional das trabalhadoras. Em diferentes países, os partidos geralmente realizavam um intercâmbio de lideranças para a ocasião: camaradas alemãs iam à Inglaterra, camaradas inglesas para a Holanda etc. A coesão internacional da classe trabalhadora se tornou mais forte e firme e isso significa que cresceu a força da luta do proletariado como um todo.

Esses são os resultados do dia de luta das mulheres trabalhadoras. O dia de luta das mulheres trabalhadoras contribui para elevar a consciência e a organização das mulheres proletárias. E isso significa que sua contribuição é essencial para o sucesso daqueles que lutam por um futuro melhor para a classe trabalhadora.

O dia das mulheres trabalhadoras na Rússia

As mulheres trabalhadoras da Rússia participaram pela primeira vez do Dia das Mulheres Trabalhadoras em 1913. Era uma época de reação em que o tsarismo mantinha os trabalhadores e camponeses sob sua tutela com mão de ferro. Não era possível nem pensar em organizar manifestações públicas no Dia das Mulheres Trabalhadoras. Mas as mulheres trabalhadoras organizadas foram capazes de marcar seu dia internacional. Os dois jornais legais da classe trabalhadora – o bolchevique *Pravda* e o menchevique *Looch* – publicaram artigos sobre o Dia Internacional das Mulheres:* publicaram artigos especiais, retratos de algumas das participantes do movimento de mulheres trabalhadoras e felicitações enviadas por camaradas como Zetkin e Bebel.**

Naqueles anos soturnos, as reuniões eram proibidas. Mas em Petrogrado, no prédio da bolsa Kalashnikovsky, as mulheres trabalhadoras que pertenciam ao Partido organizaram um fórum público sobre "A questão da mulher". A entrada custava cinco copeques. Era uma reunião ilegal, mas o auditório estava completamente lotado. Membros do Partido discursaram. Mas esta animada reunião

* Em seu congresso de 1903, o Partido Social-Democrata do Trabalho da Rússia dividiu-se em duas alas: os Bolcheviques (que significa "maioria" em russo), e os Mencheviques (que significa "minoria"). Entre 1903 e 1912 (quando a divisão se tornou permanente), as duas alas trabalhavam juntas, unificaram-se por um período, até que dividiram-se novamente. Muitos socialistas, inclusive grupos locais inteiros, trabalhavam com as duas alas ou tentavam se manter neutros nas disputas. Kollontai, uma socialista ativa e lutadora pelos direitos das mulheres desde 1899, inicialmente se manteve independente em relação às duas frações, até que se tornou Menchevique por vários anos. Juntou-se aos Bolcheviques em 1915 tornando-se a única mulher membro do comitê central. Também foi Comissária para o Bem-Estar Social da República Soviética e dirigente do setor de mulheres do Partido Bolchevique.

** Auguste Bebel (1840-1913) era dirigente do Partido Social-Democrata Alemão. Era um conhecido apoiador do movimento de mulheres e autor do livro marxista clássico *A mulher e o socialismo*.

"fechada" estava quase terminando quando a polícia, informada dos acontecimentos, interveio e prendeu vários oradores.

Teve um grande significado para os trabalhadores do mundo que as mulheres da Rússia, que viviam sob a repressão tsarista, se juntassem e de certa forma comemorassem com ações o Dia Internacional das Mulheres. Esse foi um sinal promissor de que a Rússia estava despertando e as prisões tsaristas e as forcas eram impotentes para matar o espírito de luta e protesto dos trabalhadores.

Em 1914, o "Dia das Mulheres Trabalhadoras" na Rússia foi mais bem organizado. Os dois jornais dos trabalhadores se preocuparam com a comemoração. Nossas camaradas se empenharam muito na preparação do "Dia das Mulheres Trabalhadoras". Por causa da intervenção policial, não foi possível organizar uma manifestação. As mulheres envolvidas no planejamento do "Dia das Mulheres Trabalhadoras" estavam nas prisões tsaristas, e muitas foram posteriormente enviadas ao gélido Norte do país. Pois na Rússia, a palavra de ordem "Voto para as mulheres trabalhadoras" tinha se transformado, naturalmente, em uma convocação aberta para derrubar a autocracia tsarista.

O Dia das Mulheres Trabalhadoras no período da guerra imperialista

A Primeira Guerra Mundial começou. Em todos os países a classe trabalhadora estava coberta com o sangue da guerra.* No exterior, em 1915 e 1916, "O Dia das Mulheres Trabalhadoras" foi um evento fraco – as mulheres socialistas da ala esquerda, que compartilhavam as posições do Partido Bolchevique da Rússia, tentaram fazer do 8 de Março uma demonstração das mulheres

---

* Quando estourou a Primeira Guerra Mundial em 1914, havia uma divisão massiva no movimento socialista internacional. A maioria dos social-democratas na Alemanha, Áustria, França e Inglaterra apoiaram a guerra. Outros socialistas, como Kollontai, Lenin, o Partido Bolchevique e Trotsky na Rússia, Clara Zetkin e Rosa Luxemburgo na Alemanha, e Eugene Debs nos Estados Unidos, para mencionar alguns dos dirigentes, denunciaram os socialistas favoráveis à guerra como traidores da classe trabalhadora e da luta por uma revolução dos trabalhadores,

trabalhadoras contra a guerra. Mas os partidos socialistas traidores, na Alemanha e em outros países, não permitiram que as mulheres socialistas organizassem encontros. E foram negados passaportes para as mulheres socialistas irem aos países neutros onde as mulheres trabalhadoras queriam organizar reuniões internacionais para demonstrar que, apesar do desejo da burguesia, o espírito de solidariedade internacional continuava vivo.

Em 1915, elas conseguiram organizar uma demonstração internacional no Dia das Mulheres apenas na Noruega, com a participação de representantes da Rússia e dos países neutros. Era impossível pensar em organizar um Dia das Mulheres na Rússia, pois aqui o poder do tsarismo e sua máquina militar não tinham limites.

Então veio o grande, o grande ano de 1917. Fome, frio e tribunais de guerra esgotaram a paciência das mulheres operárias e camponesas da Rússia. Em 1917, no dia 8 de março (23 de fevereiro), no Dia das Mulheres Trabalhadoras, elas saíram corajosamente às ruas de Petrogrado. As mulheres – algumas eram trabalhadoras, algumas eram esposas de soldados – reivindicavam "Pão para nossos filhos" e "Retorno de nossos maridos das trincheiras". Nesse momento decisivo, o protesto das mulheres trabalhadoras era tão ameaçador que mesmo as forças de segurança tsaristas não ousaram tomar as medidas usuais contra as rebeldes e observavam atônitas o mar turbulento da ira do povo.

O Dia das Mulheres Trabalhadoras de 1917 tornou-se memorável na história. Nesse dia as mulheres russas ergueram a tocha da revolução proletária e incendiaram todo o mundo. A revolução de fevereiro se iniciou a partir desse dia.

Nossa convocação para a luta

"O Dia das Mulheres Trabalhadoras" foi organizado pela primeira vez há dez anos como parte da campanha pela igualdade política para as mulheres e da luta pelo socialismo. Esse objetivo foi alcançado pelas mulheres da classe trabalhadora na Rússia. Na república soviética as mulheres operárias e camponesas não precisam lutar pelo direito ao voto ou por direitos civis. Já conquistaram esses direitos. As operárias e camponesas russas são cidadãs iguais – está em suas mãos uma arma poderosa para fazer com que a luta por uma vida melhor seja mais fácil – o direito de votar, de participar dos Sovietes e de todas as organizações coletivas.*

Mas os direitos sozinhos não são suficientes. Precisamos aprender a utilizá-los. O direito de voto é uma arma que precisamos aprender a manejar em nosso próprio benefício, e para o bem da república dos trabalhadores. Nos dois anos do Poder Soviético, a vida em si mesma não mudou em absolutamente nada. Estamos somente no processo de lutar pelo comunismo e estamos cercados pelo mundo que herdamos de um passado lúgubre e repressivo. As algemas da família, do trabalho doméstico, da prostituição ainda pesam fortemente sobre a mulher trabalhadora. As operárias e camponesas só podem se ver livres dessa situação e conquistar a igualdade na vida, e não apenas na lei, se puserem todas as suas energias em transformar a Rússia em uma sociedade verdadeiramente comunista.

E para acelerar essa transformação, necessitamos aprumar a combalida economia da Rússia. Temos que levar em conta a solução de duas de nossas tarefas imediatas – a criação de uma força de trabalho organizada e politicamente consciente e o restabelecimento do transporte. Se o nosso exército do trabalho trabalhar bem, em breve teremos máquinas a vapor outra vez; as estradas de ferro começarão a funcionar. Isso significa que os trabalhadores, homens e mulheres, terão o pão e a lenha de que necessitam tão desesperadamente.

Restabelecer a normalidade dos transportes vai acelerar a vitória do comunismo. E com a vitória do comunismo virá a igualdade completa e fundamental para as mulheres. É por isso que a mensagem do "Dia das Mulheres Trabalhadoras" deste ano

---

* A palavra "soviete" significa "conselho". Sovietes, ou conselhos dos trabalhadores, são organismos democráticos em que os delegados são eleitos em reuniões de fábrica ou de bairro e são controlados por seus irmãos e irmãs trabalhadores. Os representantes dos sovietes devem prestar contas à sua base e podem ser substituídos a qualquer momento.

deve ser: "Operárias, camponesas, mães, esposas e filhas, todos os esforços para ajudar os trabalhadores e camaradas a superar o caos das estradas de ferro e restabelecer o transporte. Todas na luta pelo pão, pela lenha, pelas matérias-primas".

No ano passado a palavra de ordem do Dia das Mulheres Trabalhadoras foi: "Todas pela vitória no Fronte Vermelho".* Agora, convocamos as mulheres trabalhadoras a dedicar seu esforço em um novo fronte, que não é sangrento – o fronte do trabalho! O Exército Vermelho derrotou o inimigo externo porque estava organizado, disciplinado e pronto para o sacrifício necessário. Com organização, trabalho duro, autodisciplina e o sacrifício necessário, a república dos trabalhadores superará o inimigo interno – a deterioração dos transportes e da economia, a fome, o frio e a doença. "Todas pela vitória no fronte nãosangrento, no fronte do trabalho! Todas por essa vitória!"

AS NOVAS TAREFAS DO DIA INTERNACIONAL DAS MULHERES TRABALHADORAS

A revolução de outubro deu às mulheres igualdade com os homens no que diz respeito aos direitos civis. As mulheres do proletariado russo, que até pouco tempo atrás eram as mais desafortunadas e as mais oprimidas, são agora, na República Soviética, capazes de mostrar com orgulho às camaradas dos outros países o caminho para a igualdade política por meio do estabelecimento da ditadura do proletariado e do poder soviético.

A situação é muito diferente nos países capitalistas, onde as mulheres são ainda mais exploradas no trabalho e têm menos direitos. Nesses países, a voz da mulher trabalhadora é fraca e sem vida. É verdade que em vários países – na Noruega, na Austrália, na

---

* Depois da tomada do poder pela classe trabalhadora, em outubro/novembro de 1917, o Estado dos trabalhadores russo enfrentou dois problemas principais. Um deles foi a invasão por 13 países, entre os quais os Estados Unidos; o segundo foi a resistência dos pró-monarquistas e pró-capitalistas da Rússia. Sob a direção de Leon Trotsky, principalmente, os sovietes criaram um exército dos operários e camponeses, o Exército Vermelho, que derrotou as forças da contrarrevolução.

Finlândia e em alguns Estados da América do Norte – as mulheres conquistaram direitos civis ainda antes da guerra.*

Na Alemanha, depois que o Kaiser foi deposto e se estabeleceu uma república burguesa dirigida pelos que fizeram o "compromisso",** 36 mulheres entraram no parlamento – mas nem uma comunista!

Em 1919, na Inglaterra, uma mulher chegou pela primeira vez ao Parlamento. Mas quem era ela? Uma "lady". O que significa proprietária de terra, aristocrata.***

Também na França, ultimamente, tem se discutido a extensão do direito de voto às mulheres.

Mas qual é a utilidade desses direitos para as mulheres trabalhadoras no marco dos parlamentos burgueses? Enquanto o poder estiver nas mãos dos capitalistas e dos proprietários, nenhum poder político pode salvar as mulheres trabalhadoras da posição tradicional de escravidão em casa e na sociedade. A burguesia francesa está preparada para jogar outra migalha para a classe trabalhadora por causa do crescimento das ideias bolcheviques no seio do proletariado: estão preparados para dar o direito de voto às mulheres.****

Exmo Sr. Burguês! É tarde demais!

Depois da experiência da Revolução de Outubro na Rússia, está claro para todas as mulheres trabalhadoras na França, na Inglaterra e em outros países que apenas a ditadura da classe trabalhadora, apenas o poder dos sovietes pode garantir a completa e absoluta

---

* As mulheres obtiveram o direito de voto em vários estados dos Estados Unidos antes da Primeira Guerra Mundial. Uma emenda à constituição federal, garantindo o direito de voto a todas as mulheres acima de 21 anos, foi aprovada em 26 de agosto de 1920. Mas foi apenas nos anos 1960 que as últimas barreiras legais para o voto de integrantes da classe trabalhadora foram abolidas nos Estados Unidos.

** Kollontai refere-se aos dirigentes da Social-democracia como sendo quem fez o "compromisso" na Alemanha, formando um novo governo capitalista depois da queda do Kaiser em 1918. Eles apoiaram ativamente a contrarrevolução depois de chegar ao poder.

*** A primeira mulher a atuar no Parlamento Britânico foi, de fato, a aristocrática Lady Astor. Mas a primeira mulher eleita para o parlamento foi a revolucionária irlandesa Constance Markievicz. Junto com outros membros do partido Sinn Fein, ela se recusou a tomar assento no parlamento do império.

**** As francesas só conquistaram o direito de voto depois da Segunda Guerra Mundial.

igualdade; a vitória final do comunismo jogará por terra as correntes centenárias da repressão e da falta de direitos. Se a função do "Dia Internacional das Mulheres Trabalhadoras" era primeiro, diante da supremacia dos parlamentos burgueses, lutar pelo direito das mulheres ao voto, a classe trabalhadora agora tem uma nova tarefa: organizar as mulheres trabalhadoras em torno das palavras de ordem de luta da Terceira Internacional. Em vez de reivindicar a participação no trabalho dos parlamentos burgueses, ouçam a convocação que vem da Rússia:

> Mulheres trabalhadoras de todos os países! Organizem uma frente única proletária na luta contra aqueles que estão saqueando o mundo! Abaixo o parlamentarismo da burguesia! Demos as boas vindas ao poder soviético! Fora com as desigualdades sofridas pelos trabalhadores e pelas trabalhadoras! Lutemos com os trabalhadores pelo triunfo do comunismo no mundo!

Esse grito foi ouvido pela primeira vez nos tribunais da nova ordem; será ouvido nas batalhas da guerra civil e tocará os corações das mulheres trabalhadoras em outros países. As mulheres trabalhadoras ouvirão e acreditarão que essa convocação está correta. Até recentemente, elas acreditavam que se conseguissem enviar algumas representantes ao parlamento suas vidas seriam melhores e a opressão do capitalismo mais suportável. Agora, elas sabem que não é assim.

Apenas a derrubada do capitalismo e o estabelecimento do poder soviético pode salvá-las do mundo de sofrimentos, humilhações e desigualdade que fazem a vida da mulher trabalhadora tão difícil nos países capitalistas. O "Dia das Mulheres Trabalhadoras" se transforma, de um dia de luta pelo direito de voto, em um dia internacional de luta pela total e absoluta libertação das mulheres, o que significa a vitória dos sovietes e do comunismo!

Abaixo o mundo da propriedade e do poder do capital!

Fora com a desigualdade, com a falta de direitos e com a opressão das mulheres – legados do mundo burguês!

Avante com a unidade internacional das mulheres trabalhadoras e dos trabalhadores homens na luta pela ditadura do proletariado – o proletariado dos dois sexos!

Lista de siglas, instituições e expressões em língua estrangeira:

A Igualdade *(Die Gleichheit)*

Aliança Internacional de Mulheres (*International Alliance of Women* – IAW)

Aliança Internacional pelo Sufrágio para a Mulher (*International Woman Suffrage Alliance* – IWSA)

Associação Americana Nacional pelo Sufrágio para a Mulher (*National American Woman Suffrage Association* – NAWSA).

Associação Americana pelo Sufrágio para a Mulher (*American Woman Suffrage Association* – AWSA).

Associação Americana pelos Direitos Iguais (*American Equal Rights Association* – AERA)

Associação das Manufaturas de Vestidos e Camisas (*Waist and Dress-makers Manufactures' Association*),

Associação Nacional pelo Sufrágio para a Mulher (*National Woman Suffrage Association* – NWSA)

Associação de Proteção Mútua dos Empregadores (*Employer's Mutual Protective Association*)

Associação pela Igualdade de Sufrágio (*Equal Suffrage Association*)

Associação pelo Sufrágio para as Mulheres de Massachussetts (*Massachussetts Woman Suffrage Association*)

Comitê Nacional da Mulher (*Woman's National Committee* – WNC)
Comitê Nacional da Mulher Socialista (*National Socialist Woman's Committee*)
Conferência da Federação das Mulheres Trabalhadoras de Nova York (*New York Working Women's Federation Conference*)
Congresso Internacional de Mulheres (*International Congress of Women*)
Conselho Internacional de Mulheres (*International Council for Women*)
Convenção Antiescravista Mundial (*World Anti-slavery Convention*)
Emenda pelos Direitos Iguais (*Equal Rights Amendment* – ERA)
Federação Alemã de Associações de Mulheres (*Bund Deutscher Frauenvereine* – BDF)
Federação Americana do Trabalho (*American Federation of Labor* – AFL)
Federação das Mulheres Social-democratas (*Social Democratic Women's Federation*)
Liga das Assalariadas pelo Sufrágio (*Wage Earners' Suffrage League*)
Liga de Mulheres Independentes pela Igualdade (*Equality League of Self-Supporting Women*)
Liga de Mulheres Independentes pela Igualdade Política (*Political Equality League of Self Supporting Women*)
Liga de Ensino Superior pela Igualdade de Voto (*Colegiate Equal Suffrage League*)
Liga Nacional de Mulheres do Ensino Superior pela Igualdade de Voto (*National College Women's Equal Suffrage League*)
Liga Sindical de Mulheres (*Women's Trade Union League*)
Parlamento alemão (*Reichstag*)
Partido Comunista Alemão (*Kommunistiche Partei Deutschlands* – KPD)
Partido Nacional da Mulher (*National Woman's Party*)
Partido pelo Sufrágio para as Mulheres (*Woman's Suffrage Party*)
Partido Social-Democrata Alemão (*Sozialdemokratische Partei Deutschlands* – SPD)
Presidente e Associados de Harvard (*President and Fellows of Harvard*)
Rabotnitsa (Mulher Operária)
Região sudeste de Nova York (*Lower East Side*)
Revista da Mulher (*Woman's Journal*)

Secretariado Internacional de Mulheres (*International Women's Secretariat* ou *International Women's Bureau*) – Organismos da Segunda e Terceira Internacionais.
Sindicato das empresas Cooper (*Cooper Union*)
Sindicato Internacional dos Trabalhadores em Confecções para Senhoras (*International Ladies' Garment Workers' Union* – ILGWU)
Sociedade de Temperança das Mulheres do Estado de Nova York (*New York Women's State Temperance Society*)
Sociedade Nacional Feminina Antiescravista *(National Female Anti-slavery Society)*
Sociedade pela Educação Superior para as Mulheres (*Society for the College Instruction of Women*)
Trabalhadores Industriais do Mundo (*Industrial Workers of the World*)
União Congressual (*Congressional Union*)
União Política de Mulheres (*Women's Political Union*)
Jornal do Povo (*Volkszeitung*)
Woman's Day (Dia da Mulher)